西西看電影

西西 著
趙曉彤 編

中華書局

目錄

第一部分 《中國學生周報》「電影與我」專欄

第二部分

《中國學生周報》非專欄文章

第三部分

《新生晚報》「開麥拉眼」專欄

正文凡例

一、原文字形模糊不能辨認者，編者據字形、文理嘗試補遺者，以〔　〕表示；脫文而無從臆補者，只能以□闕如；

二、明顯錯字、倒字、衍文逕改，明顯漏字逕補；

三、尊重西西當年用字和標點習慣，一般不逕改；

四、異體簡化字，今義同，如伙、夥，癡、痴，不逕改；今義有別，如担、擔，逕改；

五、方言助詞，如呢、哩，不逕改；

六、早年的報刊多以引號標識作品，一律改以書名號或篇名號；

七、西西使用的電影及人物譯名偶有不同，部分今已不用。為保存原貌，一篇出現不同譯名，予以統一，不同文章譯名相異，不逕改，悉數保留於附錄，俾便讀者查索；

八、一般情況不加註釋。惟編者不確定的用字、附錄無法收入的個別譯名，或行文出處未及完整者，倘容易引起歧義，才斟酌補入註釋。

第一部分

《中國學生周報》「電影與我」專欄

一

（我和你一樣的，有二個眼睛，有一個嘴巴。如果你沒有二個眼睛和一個嘴巴，就是你不和我一樣，那麼我也不和你一樣。開場白完。）

我是喜歡看電影的，我看電影的時候是這樣的：

我很喜歡看卡通，我覺得，凡是人，都應該去看看卡通，不看卡通的人就不夠生活情趣，不過，我又覺得，如果一個人一天到晚看卡通，那麼又會變得毫無人生樂趣。

如果我患了流行性感冒，我就看所有的菩薩，上帝面上，不上電影院去把病菌傳給我們那些可愛的人類了。（當然，你可以說我不過是為自己着想，躲在家裏養病的。）

看悲劇的時候，尤其是白天，進電影院去帶手帕我是一定記得的，還記得的是帶太陽眼鏡，因為看完電影後，我就靠它來遮蓋我那哭得紅紅的腫眼睛了。

說明書我是拿一張的，我不會拿去派福音單一般送給沒看電影的朋友，我更不會拿一大疊說明書來放在衣服上防止吃雪糕時的冰水掉下來。

一部電影能夠上映七八十天，我就一定去看了，如果我覺得那電影不值得映七八十天，就是我有毛病，或者，是全世界的人都有毛病。

影評我是一定看的，但是如果有一篇影評把電影講故事一般描述一番，像張說明書那樣時，我就給那篇東西一個大交叉。

我最開心的是在學校裏英文這一科並沒有不及格，所以，找電影看的時候，我連英文片名也一起看過，這樣，平日使我大吃一驚的「慾海」、「淫娃」這一些的中文片名，並沒有把我嚇走。

恐怖片我不看（你說我不夠現代也罷，不夠膽量也罷），我有大大的原因：我的腦子裏本來有一個美麗可愛的伊甸，一看恐怖片後，就變了地獄了，我做人一向快樂的，何必要折磨自己的神經系統。你說對不？再見。

西西（一九六三年九月十三日，第五八二期。）

二

（先請大家原諒，為了舉例的緣故：下文提到黑澤明二次，提到《天國與地獄》四次。）

如果你問我：「西西，你懂看電影不？」

我只好回答：「我不懂看。」

真的，我雖然有時每星期看四五部電影，我着實不懂看電影，我是不懂得、不懂得的。

我要舉例了。上二個星期看過了《天國與地獄》，嚇，那一輛火車開得可快了，黑澤明用了十五架攝影機才拍攝得那麼壯觀的場景；我怎麼知道是十五架攝影機呢？我是看書看來的。《天國與地獄》裏面的大廳中的那一場很長的表演也真是太好了，人物既不重疊，位置又排得準確。

我也知道的，黑澤明導演的室內戲一向是經過事先的排練，我怎麼知道呢？又是看書看來。

對了，我不是懂得看電影，而是懂得翻書。

由於翻書，我就懂得了甚麼叫「全遠景」，甚麼叫「淡入淡出」，因為知道了這一些，我也似乎是懂得看電影了。原來，看「電影」也需要有一套本領的，好像看「抽象藝術」，看「現代詩」一樣，必須有一點最起碼的條件才行。因此，我回想一下，我以前（我還沒有翻書的以前）是不是在看電影呢，嚴格的說，我以前不算是看「電影」，更不要說懂了，以前，我一直是在看「故事」。

現在，我已經時常去翻書，看到不少可以懂「電影」的東西了，但是，我懂看電影嗎？我還是不懂看，要「懂」一部電影真是太難了，懂看電影不但要懂音樂（像田戈兄那樣一聽就知道《天國與地獄》中賊首開收音機時的音樂是《鱒魚》），不但要懂繪畫構圖（像火光兄那樣一看就知道《天國與地獄》中的透視場景），不但要懂哲學、文史，還要懂一切的一切的一切，難極了，不可能極了。

但是，看電影光是看是沒意思的，應該要去懂，懂一點也好，懂得多更好，照我西西的說法，最好有一大批的影評人、介紹人，給我們許多的「懂」的一部分，這樣，加上自己的「看」，看電影就開心得多了。

西西（一九六三年九月二十日，第五八三期。）

三

這二天不是看電影生氣，而是看卡通生氣。看來看去，幾乎沒有一套卡通片願意把貓咪寫成好傢伙的，要不是牠們欺侮老鼠，就是牠們在屋子裏搗亂，《小姐與流氓》裏的二頭貓又被描繪成二個怪物，貓卻明明是好動物呀！這些年來，大畫家們借牠們來洩洩「鋤強扶弱」、「替小老鼠抱打不平」的氣，也應該夠了，要不然，大家笑要心理變態，愛起老鼠而不愛貓來的。只有那次看《寶貝歷險記》時，那頭軍曹黑貓以正派姿勢出現，可以說是為所有的貓兒揚眉吐氣一番，我也快樂了一下子。

我是最贊成一部電影沒有大明星的，而且最好是用在偵探片上，還要所有的演員都是陌陌生生，見也沒見過，這樣，偵探片才有意思得多，老實說，一部偵探片一跑跑出加利哥利柏來，或者跑出柯德莉夏萍來，誰肯承認他們是兇手。

現在我在懷念一種影片了，不是一般的「藝術電影」，一般的「藝術電影」可看的機會還多，最低限度，一年還有三二部《劫後昇平》、《天牢長恨》或《天涯一美人》，我懷念的卻是《玉女風流》，像這樣的電影，三五年也難逢一見呀！

《名流怨婦》的原名是 *The V.I.P.s*，這三個大草縮寫英文字母，雖然有一定的意義，但是各人有各人的看法，早兩天，小離小姐說有些人是非常 insulting 的，我說是非常 interesting 的，不知道你又怎樣說。

差點忘了，非介紹一個電影給大家不可，是意大利的

《鐵蹄火海戰》，記住，記住，去看，去看。介紹這個電影給大家是希望大家注意一下：

一、意大利的新寫實主義

二、片中的一萬二千名演員就是今日那不勒斯的居民

三、和《碧血長天》有甚麼不同

有一部片在上映中，那是《氣壯山河》，不過，我要介紹的另一部片可不是它，而是今年康城影展的冠軍片《氣蓋山河》，別弄錯了。

西西（一九六三年九月二十七日，第五八四期。）

四

我是喜歡看電影的人，有時候我是一天到晚看電影的，這個我已經說過了，但是，我還沒說為甚麼我一天到晚看電影，原來我看電影是為了要寫影評，好的電影看完了就說說它怎麼怎麼個好法，不好的電影看完了也就說說它怎麼怎麼個不好法。可是，怎樣才叫好電影，怎樣又叫不好的電影？

有的人是以「電」評影的，把電影完全當作一種專門的學問，研究銀幕上的蒙太奇，當然是重要的，因為「活動影片」就是以「活動」的是否成功為標準的。有的是以「文」評影的，着重故事性、內容性，凡是「文藝大悲劇」的表面，就以為高深動人。

照我看，二者都不對，利用「電」的，希治閣的本領極大，《鳥》又算得是甚麼好東西，利用「文」的，《釋迦》豈非大有道理，但那又那裏稱得上是電影。所以，我認為「電」、「文」雙方兼顧是最佳的。說《夢斷城西》吧，「電」得超卓，但也有過分賣弄，「文」得庸俗，但被其中「扮法官」一幕「演」起其他之衰，果然成為一部上乘的作品。可惜，香港的影院還沒有七十厘米之大銀幕，看起來已經打了個折扣。

我有時寫影評，有時也報道電影消息，赫然發現在香港，連介紹一下「藝術電影」也難。例如目前，我正替幾家報紙寫電影之類的東西，老編們要的只是「娛樂性」，當然編輯也自有苦衷。我以前寫影評的那家報紙的老編，不但刊刊有點水準的東西，自己也搖搖筆桿。不過，寫外國電影的東西還是最幸運的，我知道有一位同行，寫了一篇影評，大罵某某國語製片公司的女明星演技要不得，結果呢，老編第二天立刻撰文回讚補救，也已經被停刊廣告數日，經濟封鎖。看這情形，香港的那些國語製片公司似乎非常要得了。

看《假面兇手》回來，拾得「影訊」一份，頭條的那篇卻德格拉斯居然又是我從外國雜誌羅回來的米煮成的飯，現今被人加以一炒，熟口熟面的，早些日子，本港一份素以字粒最漂亮〔見稱〕的報紙娛樂版也是習慣如此這般。想不到，我一人耕耘，有數人收穫，這些人不知是否該分一半稿費給我再羅米去，或者，反過來，我必需因為被人免費再版而請他們喝茶。

西西（一九六三年十月四日，第五八五期。）

五

我覺得，電影似乎犯了一個嚴重的錯誤，就是：聲音太多了。自從默片進步為有聲電影以來，沒有一個製片家不在聲音方面下功夫，對白增多了，戰爭的槍炮聲更響了，愛情大悲劇的催淚本領也更強了。有聲其實是對的，但是，我們不應該忽略了在電影上也有一種「無聲勝有聲」的潛力。

人們常稱音樂是動的，繪畫是靜的，因為有人可以聽到一首歌曲而流淚，卻從未有人對着一幅名畫哭起來，而在電影院中，叫人流淚的也往往是那些歌，那些對白，那些聲音，而多半不是由於畫面，但是，電影如果被聲音喧賓奪主的話，就非常可悲了。

看一部差利卓別靈的默片一如《尋金熱》，我們的感受仍然是很深的。走進一間莊嚴的教堂，那種氣氛也會叫人自自然然地嚴肅起來，別有一種情緒。而登高山，到曠野，和大自然為伍的時候，天地之間，花草樹木根本沒說甚麼，這時候，天地是銀幕，那裏需要甚麼聲音？而聲音也是有的，風聲，流水聲，鳥聲，這些都和原野配合，絕不呼呼啦啦大鬧起來。

所以，看一部《天牢長恨》的感受是一種享受，就完全因為這部電影的聲音之低沉，整個電影給人的是一個建築感，畫面感，而不是一個音樂會，一個菜市。電影本來是以視覺的藝術為主的，也的確應該以畫面為主，沒有聲音的電影還是電影，沒有畫面的電影就不是電影了。《天涯一美人》中的配音是極佳極佳的，那種琴音，叮叮打打地連綿不斷，但它已經超越純配音（美化的出現）的能力，而是在作敘述的出現了。

看電影其實就是在經歷一種創造過程，導演是不應該低估觀眾的能力的，尤其是把一切都用「語言多過一切」來說盡了，觀眾在電影中還能找到甚麼。對白多的電影出色的是少數，我只能舉《玉女風流》一片出來，但人人看得出，這片的對白也是脫離了「配角」地位而以主角姿態出現的。一般的電影，對白太多，聲音太多的，不如改為電台廣播劇去。

西西（一九六三年十月十一日，第五八六期。）

六

《弗洛伊特傳》，這個電影我介紹大家去看。這個電影，本港譯成了《性學奇醫》，別給片名嚇跑了。

導演尊哈士頓（就是《假面兇手》的那個喜歡處理原野鏡頭，大刀闊斧作風的導演），在二十年以前，他曾為美國軍隊拍攝了一部紀錄片，叫做《讓那裏有光》，注重心理上的分析，看過的人都認為是一部藝術電影，是他本人的一部傑作，可惜，連美國人民也沒有機會看，雖然由現代藝術博物館印了版，美國軍方卻禁止放映。

不過，為了拍那一部傳記片，尊哈士頓對心理分析發生了極大的興趣，並且對心理分析始祖的弗洛伊特特別重視起來，二十年來，他一直在籌備拍一部完整的電影，以描寫弗洛伊特為主，現在果然實現了。

電影直接描寫弗洛伊特初期任醫生的一段時間，他利用診症深入研究潛意識及無意識作用，對於他的病人的病況，有很細微的描述。

演員方面，值得注意的當然是孟甘穆利奇里夫，以及英國的女星蘇珊娜玉（她是新星，但極有前途，曾主演《荳蔻春心》。

在《假面兇手》中，我們不難發現尊哈士頓對「夢境」,「神秘性」,「幻界」的處理是不俗的。《弗洛伊特傳》要透視的是心理的分析，描述人的內在境界，而這，尊哈士頓是利用了做夢的「回憶」方法拍攝的，而且，他常把鏡頭對準二個人，以期望透過他們的眼睛，找到眼睛後面的思想。

在本片中，我們又可看到《夢斷城西》中的那種局部清晰、其他模糊的畫面了，這就是尊哈士頓要表現的夢境，演員們在銀幕下是受了催眠作用的，慕尼黑的一位醫生特別被請到片場上來防止意外，在片中，一個演不能呼吸的女子，另一個演痙攣的，和一個演喧嘩大鬧的，這三個病者都是真正受了催眠而演出的。

本片的調子是緩慢的，「動」作少，靜態多，為了集中觀眾的視力，所以並沒有把片拉長，沒有拍成三小時的長片。以「電」來看，這片是電影，以「文」來看，世界上的一個偉人的傳記也是值得的，「居禮夫人」的傳記要看，「愛恩思坦」的傳記要看，「弗洛伊特」的傳記也不例外。

西西（一九六三年十月十八日，第五八七期。）

七

碧姬芭鐸有一部新片上映了（我並不是叫大家去看），片名是《痴情尤物》。凡是碧姬芭鐸的作品，早已被尤物成了一個例，那麼，下一部她的新作又如何呢？許多人都已經知道，碧姬芭鐸在最新的一部電影《正午幽魂》（莫拉維亞原著）中已經改變作風了，因為她希望向蘇菲亞羅蘭或者 CC 看齊，以演技來努力一下，這當然是對的，只是，當那部片到香港放映時，譯名專家是否會把它叫做甚麼「正午尤物」或「幽魂尤物」？照我看，那位專家果然是一位「恐怖尤物」。

《關東十一俠》使人記起了黑澤明。在東寶，黑澤明和稻垣浩是一山藏二虎的二個了不起的人物，這二個人似乎相當聰明，因為他們平常是分道揚鑣的，很少拍同一類戲。且說黑澤明吧，他是發了誓也不肯拍彩色片的，原因之一是因為他曾經說過：「用彩色來拍電影，就消失了畫面上色彩對比之美的境界了。」不錯，黑白片是可以強調光暗的強弱的。但是，事實上，黑澤明的不拍彩色片，也因為他無論如何犯不着和稻垣浩相爭，稻坦浩拍彩色片是相當高明的，看過他的《手車夫之戀》的，必定會敬佩他的才華不已。

有不少人是比較喜歡稻垣浩的，認為他的才華的確比黑澤明高，不過，黑澤明卻走了好運。從這二個人的「武俠片」來看，最大的不同是：黑澤明導演下的人物動作快得神奇，而稻垣浩，他導演下的英雄人物的「招數」，卻是快而快得清楚。《七俠四義》中有所謂斬馬刀，其實，斬馬刀是那一兩招，許多人見也沒見到。

《新聲震環宇》還是要提一提的，因為目前適合學生看的電影實在太少了。我們說《牧野梟獍》、《性學奇醫》算是佳作，但這些電影的對象並不是學生，而《新聲震環宇》才真正是學生的，這，我們可不得不謝謝和路迪士尼啦！

西西（一九六三年十月二十五日，第五八八期。）

八

我們常常認為香港的許多電影要不得，甚至認為那些導演根本連「導演基本知識」也缺乏。拍一部電影當然是要講蒙太奇，要講攝影術的ABC的，不過，能否拍出一部好電影，缺乏創造性還是不行的。每一部電影有每一部電影的題材，表現方法也各異，本港的電影題材上不能取新是一回事，但在某些銀幕上的表現還不能有令人拍絕的地方卻是一個大大的事實。

我在這裏特別要說的是剪接。電影本來是一幅幅呆照，連起來，便成了活動畫片，但這麼多的畫片，這麼多的分場，要銜接得成功，甚至出色，就是導演和攝影導演（Director of Photography，不一定是攝影師）以及剪接人的鬥智了。尤其是能夠從小處着手，則效果更大。

現在舉例說明。

大家記得《觸目驚心》中那個浴缸底的出水洞嗎，那麼轉呀轉呀，然後變成了死屍的眼睛，這一個剪接把二樣毫不相干的事物連在一起，可以減省了不少敘述的菲林了。

大家記得《夢斷城西》中東尼在後巷中唱歌後，抬頭看見一竹的衣服嗎？然後，在淡淡的衣影中出現了瑪利亞來，這一個剪接如果慢一點，便趣味全無了，同樣的，《情場浪子》中的公路也是交疊出現的，在銀幕上構成了相當美的圖案。

大家也記得《壯士千秋》中安東尼昆從地墓中出來後，立刻碰上羅馬大火嗎，這是分場連接得最天衣無縫的，看這樣的電影才真是一種享受。

世界每年有不少電影節，叫人注意的往往是誰得了最佳男女主角，而最佳剪輯卻是不大受人理會的，且拿一套卡通片作比喻吧，那些卡通人物的成就大呢，還是剪輯的工作叫我們驚訝呢？

我認為《釋迦》不能算是一部電影，它可以成為一部偉大的著作或經典，但無論如何不是好電影，那些剪接，那些攝影，呆板得就像在照相店拍全家福。

西西（一九六三年十一月一日，第五八九期。）

九

有些電影運到香港來，便會來一次試映，招待一下大記者大影評人，有的電影運到香港來，雖然試映，並不招待外界人士，當然，招待外界的影片多數是院方認為賣座片，希望這群大記者，大影評人回去執筆多多宣傳，最好是讚個天上有，地下無。好吧，且看我們這裏的大記者大影評人如何吧，原來這裏的大記者大影評人也和普通觀眾一樣，對電影這東西並非真有興趣研究，只是消遣消遣時間，賺賺娛樂版稿費而已，這，也舉例證明。

某家電影院放映 BB 的作品，一如《痴情尤物》，試映時演出了一幕大記者大影評人滿座，大家全不放過欣賞「藝術傑作」的機會（我並不是認為《痴情尤物》不是佳作，這部電影法國氣息濃，缺點也許正如冬望兄說的「還沒能把洛芝法原著的精神充分表現出來」），可是，第二天看看大作家的傑作，才想到這些人根本沒看到甚麼電影，說不出甚麼所以然來，對那現代人的生存感覺一點也沒有感覺出來。

某家電影院試映日本的《關東十一俠》，於是，全院又告滿座，理由是《七俠四義》和《用心棒》都是又刺激又熱鬧，所以「好看」。第二天，報紙上刊的也就是十一俠如何英勇，場面如何偉大，稻垣浩最幸運的也還是給了題了一下名，至於人家的攝影手法，黑白攝影的處理，過場的運用可全是閣下的事了。

某家電影院試映《新聲震環宇》，我數了一下，到座的人連一百名也沒有，偌大的一個樓座空空洞洞，當然，這片是沒有甚麼「藝術傑作」可看，也不夠「刺激熱鬧」。有位影評人更妙，連該片也沒看過，只看了一下預告片，便在電台廣播節目上大嚷，說這片也不過是一部胡鬧片而已，和路迪士尼找了一群小孩子來演不算，還加上男孩子扮女孩子。真叫人啼笑兩得。

這二天，沒甚麼值得開心的，要有，就是看電影時那個「大」可樂（Big in size, flavor, value 那東西）換了一個面目，其次，意大利的《烽火流亡圖》是這一期中唯一可以稱得上是一個電影的電影。

西西（一九六三年十一月八日，第五九〇期。）

十

有一個人有話要說，他是一個編劇。這個人把要說的話交給了一個去傳達這話的人，他是一個導演。這個人只知道話應該怎麼怎麼傳達，他不會說得動聽，於是，他去找一個會說話的人，他是一個演員。

從前有三個希臘悲劇大家，又有一個希臘喜劇家，他們都寫了不少的劇本。於是他們的劇本都給演員去演。這時候，戲劇家的作品都在比賽，誰的劇本最好，可以得獎。後來，戲劇家們死掉了，可憐的希臘沒有好的劇本了，於是，人們只好演來演去都是那些戲，結果甲演員演這，乙演員演這，丙演員演這，到了這個時候，劇本人人都背得出了，人們不是去看戲，只不過是去看演員。演員便紅了起來。演員制度便誕生了。因為有了紅的演員，有的編劇知道這位演員的長處，便特地為這演員編劇本。

在電影上，有的人有話要說，去找會說話的人，有的會說話的人，別人特別編了話給他說。這二樣都是對的。不過，在電影上，有的人有話要說，找不到會說話的人，就胡亂拉了一個人去說，又有的人很會說話，有的人編錯了說話給他。

現在，可憐的香港也和可憐的希臘一樣，沒有好劇本了，於是，人們只好演來演去那些戲（《花木蘭》、《紅樓夢》、《梁山伯與祝英台》），人們就只好是看演員了。但是，有了演員又怎樣？編劇的知道了演員的長處又怎樣，沒有誰編出甚麼上乘好的劇本來呀。

大家記得有個明星叫做花利格蘭加嗎？他現在正在歐

洲，他還在演電影，但是大家沒有聽到他的名字。原來他在意大利的影片中演最微不足道的人物，但是，他這角色是他的，他不願回到荷里活來演不屬於他的戲。

香港要拍一部《藍與黑》，風塵女子找了林黛演，刁蠻小姐找了丁紅演，如果這二人掉換一下還不至於會說話的人不說，不會說話的人亂說吧，其實這二個人都已經不夠資格說甚麼話的了。誰都知道，在《藍與黑》中，風塵女子是主角，大明星是從來不能把主角讓給別人的，對嗎？

西西（一九六三年十一月十五日，第五九一期。）

十一

寫一首詩的時候，我們以文字作語言的傳達。

繪畫的時候，我們以線條色彩作語言的傳達。

作曲的時候，我們以音符五線譜作語言的傳達。

在電影上，我們也有一種叫做「電影語言」的東西，這就是一般上稱為 cinematic idiom 的。

看電影時，我們可以聽到不少的對白，但是，這些對白並非「電影語言」,「電影語言」是指一部電影的整個所表現出來的一切，包括了最重要的畫面，所以，一部默片依然是有「電影語言」的存在的。而電影語言就是攝影機收取後而放映出來的銀幕上的過程。

電影是用攝影機來「敘述」的，而並非是銀幕上的人物「講述」的，攝影機可以用巧妙的方法來敘述許多的事，或者很少的事，可以敘述廣博的事，也可以敘述很狹窄的事，可以縮短時間，也可以延長時間，可以像萬花筒一般包羅萬有，又可以像顯微鏡一般集中焦點於最微小的角落。一部電影就等於是一個人，觀眾等於是無數的聽眾，電影劇本等於是一個人的思想，當一個人要把本身的思想傳達給無數的聽眾時，他將以一種甚麼樣的語言去表達呢？詩人以詩，畫家以畫，音樂家以曲，電影就以銀幕面，所以一部電影的成功與否，就看導演的有甚麼話要說（用甚麼劇本），說的話人家懂不懂，說話說得有沒有藝術而已。小孩子的說話，瘋子的夢囈，演講家的詞鋒，教師的語言，潑婦罵街的亂叫，都可以傳達人的內在的思想的，電影的說話也因此有很多種類。但多和好是不同的。

說話要講條理層次（電影的過場剪輯、淡入淡出便要有研究）；說話要講文法（電影的過程便得依照時間性進行，頭尾相接，加插的片斷也要有所取捨）；說話要講技巧（電影的取景便得要事先計劃）；等等。

人有很多種，人的說話方式也有很多種，所以，「電影語言」的出現也有很多的面目，有的淺白風趣，有的高深莫測，但無論如何，我們所需要的「電影語言」，標準還是訂立在「說話的藝術」這一基層上。除了啞子，人人會說話，除非不學，人人可以拍電影，但話說得好不好就要看是否下過功夫了。

西西（一九六三年十一月二十二日，第五九二期。）

十二

有的人反對抽象畫，因為是「看不懂」。

有的人反對現代詩，因為是「看不懂」。

有的人反對新電影，因為是「看不懂」。

是的，有的電影是叫人看不懂的，因為做導演的有很多話要說（劇本），假如他用的「電影語言」很特別，他只以攝影機來呈現了一個外貌，或者把他的語言用比喻介紹了出來，用象徵介紹了出來，導演是有權利要觀眾在看電影時共同創造搜索的，導演是有權利只作提示要觀眾自己去找答案的，但是，結果是這樣：

導演的比喻或象徵用得好不好？

觀眾的搜索能力和興趣深不深？

從觀眾方面來說，看電影是最直接的閱讀，在銀幕下立刻可以從畫面上的刺激而產生反射作用，但是，一般上說，最忌的是一種可以引起自由聯想的目的物，因為一旦聯想岔了開去，可就難以收拾了，總之使主題越駛越遠，到結果，看不出電影的一個所以然來。

從導演方面來說，他所用的比喻和象徵用得是否適當是最重要的，所以在戲劇中總是最注重伏線的牽引，但是有的導演常把「符號」和「象徵」混在一起。

「符號」是 sign。

「象徵」是 symbol。

銀幕上出現了十字架，大家明白那不但是一個十字的「符號」，還是「受難」、「犧牲」的「象徵」，但是，銀幕上出現了一個呆立着的人，從「符號」上看，他是一個人，不是樹不是山不是鳥，但在象徵上，他是甚麼呢？代表了「寂寞」，還是「憤怒」，還是「悲哀」，還是「活力」還是「死亡」還是「快樂」？當然，一部電影的象徵是無數的，還要以整個電影來配合才可以探索其內容，可是，有的電影幾乎象徵太多了，而無法連貫起來。《牧野梟獍》是「看不懂」的電影之一種，「赫」最後拉下了窗簾，這舉動象徵的是甚麼？要解釋的話，起碼有五六個不同的答案，因此，我們就一直不知道導演要說的是哪一個了。

西西（一九六三年十一月二十九日，第五九三期。）

十三

有三個電影要說。

《龍虎榜》——這個電影本來叫做「大逃亡」，院方的宣傳人員現在已經懂得國際上有些電影節，所以把莫斯科影展幾個字亮了出來，其實，這部片並沒有得過甚麼獎，而是男主角史提夫麥昆贏了一個最佳男主角回來，美國人在莫斯科影展可以得那麼重要的獎，當然是要特別演得好，因此，我們深信這部片的演技。最近，童子軍總會籌款，特地以該片來作籌款放映之用。到時，港督也出席參觀。文化界放映的電影多數是比較嚴肅的，像上次聖雲仙籌款，敦請白英奇主教光臨，放映的就是《苦海奇人》，香港大學籌款放映的是《氣蓋山河》。普通的社團卻多以娛樂性為多，像扶輪會，他們選了《廣告皇后》。

《血海亡魂》——這部片叫人注意的是二個演員，一個是羅蘭士奧里花，這是他自《師生戀》以來的新作，另一個演員便是蓓蒂杜琪，她就是今屆奧斯卡金像獎的最佳女配角，演《苦海奇人》的女孩子。我們知道，在墨西哥拍攝中的《大蜥蜴之夜》動用了李察波頓和蘇麗安，拿李察波頓比，比不上羅蘭士奧里花，拿蘇麗安比，比不上蓓蒂杜琪。可是《大蜥蜴之夜》準會賣座，本片卻不。

《埃及妖后》——這是唯一要分開上下集演的電影，在香港總算是和劍俠片比美起來，票價當然也加倍，因為無論如何，每個人一看就要看二場，而且要送四個鐘頭給黑麻麻的電影院。喜歡看長電影的當然非常開心，看完二點半，再看五點正，反正看電影院中吃晚飯乾糧已經並不新鮮。不過，這一部電影，故事是人人知道的，要看的當然是演技以及用活動圖畫表現出來的古代是否夠深度，稱不稱得上為「電影」。本片在美國放映時，是一場放完的，中間的休息是十分鐘，在香港分開二場是為了收賣座之效，因為如果一場放映，那麼四個鐘頭也許叫人沒法抽暇，特等的九元四角也會叫人大叫起來，所以，耍了一下招數，騙過了觀眾，時間還是那麼多，錢也是那麼多，總之觀眾覺得彷彿合算就行了。我們少不了給人家的「心理學」打勝仗。

西西（一九六三年十二月六日，第五九四期。）

十四

有個朋友，拉我去給一份新出的報紙的電影版湊熱鬧，他們給我的權利是：

寫影評

絕對可以自由發揮

那自由二字大大地迷惑了我，因為寫影評可以自由發揮就是好的電影我可以興高采烈地報道介紹，勸大家千萬千萬要去看，不好的電影我也可以數碗數碟地指出它之不成為一部好電影的原因來。香港寫影評的地方實在太少，我目前替一些報紙寫稿，寫的清一色全是明星史，談起影評，編輯老爺全部搖頭，編輯老爺搖頭是因為主編老爺搖頭，主編老爺搖頭是因為他們以為讀者搖頭，其次，主編老爺搖頭是因為他們着實不敢得罪一些電影宣傳公司給送來的「贈品」。大家一定看過一些大報紙的電影版上刊登那些「圖文並茂」的電影連環圖故事了吧，就是刊了一幅電影呆照，旁邊附了三幾行字說明，這東西，就是電影宣傳公司拿去交給主編老爺刊登的，凡是每天刊登那麼一二幅，就附送「贈品」一百大元，因此，主編老爺每個月坐在寫字枱就可以收到禮物三幾千，當然，收了那麼的禮物之後，還好意思叫手下的正面對那部電影開刀嗎？凡是影評（短影評照例還要一點充充場面的），條件是壞的全不說，好的地方不妨多稱揚，如果評得實在徹底，那麼稿件押後，最低限度到電影也放映完蛋，觀眾已經忘得一乾二淨時，才登到一個角落亮亮相。這已經算是那篇稿好運。

話說回來，朋友拉我寫稿，當時，我早接得另些朋友通知，那報館對稿酬可能「賴貓」，但我覺得，這報紙既以高級水準為招牌，我又是純粹為電影而寫電影稿的，便管他有稿費沒稿費，就算大報館也不過是千字八元，剛夠我上尖沙咀的安東尼理一次髮，看着尤敏奇裝異服地跑進來，看着樂蒂駕了車來取回弄好了的假髮。

但是，那張新報紙也倒霉了，高級水準其實就別想走「群眾路線」，那報紙為了銷路也只好改了，我也因而被邀寫一些明星史，寫明星史其實沒甚麼不好，如果像芝子兄那種倒真可喜，偏是要展覽明星肉照，啊啊，電影這東西，（沒甚麼好說了）。

西西（一九六三年十二月十三日，第五九五期。）

十五

我們有時候很喜歡一首歌，像上次大會堂音樂會中的那首鋼琴《E 調練習曲》，蕭邦的。我們聽了，喜歡了，以後再想聽，再想去喜歡喜歡，那麼我們是有辦法的。我們去選購一張唱片就可以了。這是愛好音樂的人最簡單的也最起碼的需求。

我們有時候很喜歡一個文學作品，像加繆的《異鄉人》。我們也可以去買一本本書回家，每一字去看，每一句去讀，而且可以看完再看十多遍，讀完再讀一百次。這是愛好文學的人最快活也最純粹的需求。

但電影呢？目前，我們還沒有流行到可以每個人像買唱片買書本一般地去買一卷電影菲林回來放映，甚至連租也租不起，（租不到也不奇），因為那些放映機，那些銀幕，都不是普遍得像唱機一般，而且，市面上根本還沒有那麼的一間出售影片的商店，沒有影片可以賣，可以買。

荷里活的一些製片家在去年已經想過做這一種生意的，他們打算把影片印很多的拷貝售出，那麼，喜歡馬龍白蘭度的演技的便可跑進商店去「要一個《碼頭風雲》！」然後捧二卷菲林回家自己看個夠；然後，又可以像唱片一樣，你借給我，我借給你，又可以請大伙兒的朋友一起來欣賞，嗯，生活可豐富得多了。

但是，現在還不是那個時代（將來總會是的）。在目前，我們要研究一部電影，只好每次捧電影院的場（像羅卡兄那樣，《夢斷城西》要看二次，《牧野梟獍》又要看二次），結果還是總像漏了很多東西似的。

碰上一些寂寂無聞但卻是優秀的電影作品時我們該怎辦呢？電影是講時間的，不像書，沒看的可以去買了再看，或者可以買了有時間才看（當然，好的文學作品也有時「有時間性」，瘂弦的《苦苓林的一夜》是一部非常可愛的詩集，現在卻找也找不到一本了），電影可不行，不看就沒得看了，因此，我這一次要說的只是：

喜歡電影的朋友應該培養自己的電影嗅覺。

西西（一九六三年十二月二十日，第五九六期。）

十六

（A）我對你說：這個電影好看。

你趕忙跑去看，或者本來不想看而結果也去看看；你猜你的行為像甚麼？——傻瓜。

我又對你說：這個電影不好看。

你不去看了，或者你本來想去看看的，但給我那麼殺了一下風景而結果決定了不看；你猜你又像甚麼？——還是傻瓜。

當一個人沒有自己的主見，跟在別人的後面跑，他就是傻瓜。可是，我西西卻偏像在叫你跟我們跑，作傻瓜。

（B）我對自己的注解是：也是傻瓜。

這樣說吧！我是我，對不對？你是你，對不對？那麼，我的趣味不一定就是你的趣味，我喜歡的東西不一定是你喜歡的東西。我喜歡的電影為甚麼要對你說好看，難道你沒有二個眼睛一個鼻子自己去看麼？如果你喜歡看電影，你當然應該和我一樣預先知道甚麼甚麼電影好看，甚麼甚麼電影不好看，如果你不喜歡看電影，我對你說電影，就等於在說夢。

（C）打一個比喻。

我們大家都是被困在一座巨大的黑森林裏的，這個森林就是一個子勁兒地黑呀黑呀，巨大呀巨大呀，甚至沒有一丁點兒螢火可以照明，甚至沒有一隻蝙蝠可以帶路，我們且走出這個巨林吧！事實上，我們已經沒有一個可以帶領我們出埃及的摩西了哩！

我們等別人來告訴我們走這條路走那條路嗎？當別人

走出森林回來找尋自己時，自己也許早也凍死餓死了。

（D）「英瑪褒曼的電影不是藝術」，你同意嗎？

你同意或者不同意，要看你到底看過了英瑪褒曼的作品沒有，還要看你到底看過多少。我們感到可悲的是：我們讀別人的東西太多時，自己就懶於搜索了。我們就充滿了一個「外界」，失去了「自己」。

西西（一九六四年一月三日，第五九八期。）

十七

這裏是十個我所喜歡的電影的名字，去年我看過的，但是，我把它們分為三組：

（A）《天牢長恨》、《天涯一美人》、《夢斷城西》。

（B）《苦海奇人》、《陋室紅顏》、《一夕風流恨事多》、《戀火融融》、《同命鳥》。

（C）《蘭閨驚變》、《牧野梟獍》。

B和C二組是我喜歡的電影，我稱它們是電影作品，而A組不但是我最喜歡的電影，還是我稱之為電影藝術的。

A組中的三個電影，都是具有代表性的，我把《天牢長恨》排第一。這電影是一部全部的一個除了銀幕就不能表現出來的人生寫照，我們無法把這段事情搬上電台上廣播，也沒有能力放在舞台上演，而且，電影的攝影角度取材之佳，是其他許多電影無法跟上的。這電影，走的是傳統的路，像米開蘭基羅的畫一般富有雄渾的內力。

《天涯一美人》給我們的感覺是一個雕刻得很美的美神，面對她的時候，可感的是她的單純的形象和她的堅固的石質，這種電影根本不在講甚麼，敘述甚麼，它是整個地在表現自己的，它就是甚麼，而不在告訴我們甚麼，當然，它不屬於畫的，它是屬於詩的。

《夢斷城西》的創造和《天涯一美人》的創造是不同型的，《夢斷城西》是屬於音樂的，整個的電影只是一個演奏，而在銀幕上的演出，已經成了和路迪士尼筆下的卡通一般地漫畫化了，像幻想曲一般的姿態誕生了自己的風格來。也是在這一部電影中，我們真能領略到第八藝術中的確包容有其他的七樣東西。

B組的那一批電影，我可以稱它們為非常寫實的，在風格上它們大致相同，淡淡的調子，樸實的內容，現實的展示，只有《苦海奇人》「戲劇化」了些，但氣氛也是蠻可愛的，總之，電影一放映，大家第一眼就可以明白，製片的在好好地想拍一部好作品，製片的並沒有想着怎樣賺錢。

C《蘭閨驚變》和《牧野梟獍》可以算是二部「怪片」，其實，它們都能夠做到了「純粹的」的地步，前者奔向現代，要表現《天涯一美人》的情緒，所以結局時沙灘上一場舞蹈非常優異。後者卻極力想在擺脫傳統，一直想在推出一種新，甚至是一種叫人無法接受的新。雖然，這二部電影不是一流的作品，但是我還是認為編導的精神可嘉。

我沒有選《氣蓋山河》和《七俠四義》，是因為我們只看了它們的一部分，我沒有選《天國與地獄》，是因為我看過了黑澤明的《留芳頌》，忽然改變了主意。

西西（一九六四年一月十日，第五九九期。）

十八

我現在說真話，不說假話。

我告訴你：

影評是沒用的

電影圈大叫大嚷的全是廢話

我這裏的「電影與我」是騙人的。

我們這裏大伙兒對你說，看這電影，它好，它藝術，它其他；或者說，別看那電影，它不好，它不藝術，它風風雨雨。我們這樣說話，是在估低你們的價值，是在把你們當作讀《兒童樂園》的小巴西。

我們彷彿要把你們困在一個小小的樂園裏，告訴你們世界美麗可愛，我們把一切不好的都丟在樂園外，剩下最好的給你們，又把你們培養成天使一般。(哈，像當日阿當夏娃在伊甸呀！)

但是，如果這樣，你們可以得到一切最美最好的東西，但是你們從此沒有了「智慧」。

我們是不應該告訴你去看某一個電影，不去看某一個電影的，因為你們已經長大了，你們要看見美麗的東西，也要看見醜惡的東西。

這個電影不好看，別看。我們是在逃避醜惡的東西。事實上我們要去面對它，是探索它醜惡的原因，我們去看好的電影，是因為它好，我們去看不好的電影，就因為它不好。

對於一個小孩子，我們只能對他講童話，王子公主總是快快樂樂地過日子，而你們，你們早已不是小孩子啦！

你們已經不是小孩子了，你們明知世界的醜惡，你們明知伊甸是一個樂園，但是，當你只有享樂而沒有智慧時，你甘願接受蛇告訴你的蘋果嗎？

這個星期我在「咪」加繆的《黑死病》。

黑死病對於人類也有好處嗎？

Tarrou 對醫生說：

「黑死病也有好的一方面；它開啟人們的眼睛，強迫他們去思想。」（企鵝，一〇五頁，末二行。）

如果我們能夠開啟眼睛，能夠思想，我們還用得着別人來對自己說：

「看這電影，不看這電影」——嗎？

西西（一九六四年一月十七日，第六〇〇期。）

十九

這次談明星。談一支火柴明星。

看《寶蓮燈》的時候，我很有看《碧血長天》時的那種傻氣，居然去數明星，認明星。

其實，這是被逼的，銀幕上出現了一個熟口熟面的尊榮，自己的心裏就自自然然地嚷起來：「嗯，是尊榮哪。」因此，一部戲四十多個明星，自己也找到一個高興一個。因為心裏老是在明星的臉上打轉，看電影固然吃力，精神也就沒法集中，而且又因為那一大堆的羅拔米湛、羅拔韋納、李察卑馬之類忽然會來一次「英雄會」，就覺得這一群人是走在一起做戲，沒有了他們自己的個性。

看《寶蓮燈》也有一個感覺，明明看見一個尤敏，一個葛蘭，一個林翠，自己就不能假裝不認識她們，因為認識她們，當她們一出場，心裏又在嚷了：「喂，主角來啦！」不用說，大明星演的當然是重要的角色。人是在那裏看電影，其實是在替明星點名。這也就像看《武士妖魔》一般，只要三船敏郎一出現，視線全都會一下子集中在他身上，這時，眼睛會從他的頭髮、衣服、臉、背上的劍，甚至一二條腰帶之類的東西上盤旋，而銀幕上同時出現的那幾個水手是甚麼樣子的，天空是甚麼顏色的，船是甚麼形狀的，全不知道。但《武士妖魔》所幸只有一個三船敏郎。（志村喬他們也有的，只是比不上三船敏郎的重要。）

一部片裏面，明星多是最容易減低戲劇效果的，這些像劃一支火柴，燃了幾秒鐘而熄掉的明星，其實根本用不着那麼樣，像《寶蓮燈》裏面，劉恩甲的出現就是多餘，而那一群天仙舞蹈，也是為了讓多幾個明星的臉對準鏡頭而已。

本港公開放映的那部《七仙女》，開場的時候也悶得可以，七個仙女的舞蹈花了一長串的菲林，這個出來唱幾句，那個出來道道白，但是結果，我一個也分不出來，因為七個仙女都是一樣的，既沒個性，也沒有戲好演，倒不如六仙女一起代表一個個性，另外一個演她的下塵凡。一支火柴明星的出現，演得成功的，應該算是《假面兇手》裏的幾個而已。

西西（一九六四年二月七日，第六〇三期。）

二十

是呀，我和你一樣，有二個眼睛一個鼻子，也有一個嘴巴。我和你呀，壞就壞在那嘴巴。譬如說，我們在這裏大嚷：「香港為甚麼製不出英瑪褒曼那樣的作品來呀。」說起來，又怪這裏的導演飯桶，這裏的演員笨蛋。好吧，讓我們也在這裏大嚷一下：「香港為甚麼製不出半個鬼影子的原子彈來呀！」

這，大家可有話說了，我們沒有那種科學家，我們沒有那種知識，乾脆一句話：我們沒有那種本領。

還不清楚，香港為甚麼製不出英瑪褒曼那樣的作品來，是因為我們沒有那種本領。

我們有沒有出過一個紀德，我們有沒有出過一個加繆？英瑪褒曼並不是一個普通的導演，那是一個電影作者，如果諾貝爾獎分一項給電影的話，英瑪褒曼早已奪得了，誕生一個英瑪褒曼豈是容易的。

我們如果對目前的電影觀眾來一個測驗，結果會發現他們的藝術水準如下：

最喜歡的作者：海明威、狄更斯

最喜歡的音樂家：貝多芬、蕭邦

最喜歡的畫家：達文西、拉飛爾

所以，能夠欣賞《雙城記》，《蘭閨玉女》，《苦海孤雛》的還是這一批願意有時翻翻《約翰克里斯朵夫》的青年人。而事實上，許多人不知道海明威，達文西，貝多芬，許多人不習慣看《雙城記》。

許多人不習慣看《雙城記》。這不習慣是因為他們不懂得狄更斯，蕭邦，拉飛爾；是因為，他們看過的電影並不是這樣子；是因為，導演製片的並沒有要他們知道狄更斯、蕭邦和拉飛爾。而導演製片人，他們自己甚至也不知道有達文西，貝多芬和海明威。

香港製不出好的電影作品來。

製片人和導演還不知道甚麼是「好」，觀眾還不習慣甚麼是「好」。他們都認為《雙城記》才是好，便停留在《雙城記》的階段；他們以為自己製的片已經成功，便停留在那一階段。

我們不是不想拍好電影，只是我們的確還沒有這種本領，我們甚至還沒有能力去認識甚麼電影才是「好」的。

西西（一九六四年二月十四日，第六〇四期。）

二十一

想喜歡一下「藝術電影」的話，就去喜歡一下我們四周的現代吧。

必須要去讀讀弗洛伊特，聽聽杜布西，看看畢加索他們，否則，你只好一生一世地欣賞《雙城記》。

我並不是叫你去接受新東西，新的東西也許是有毒的，我只是叫你去認識，去知道，去容納一下。而且，使你因此可以開心，有些東西為甚麼有毒，有些東西為甚麼新。

如果直到今日你還以為《雙城記》是一部「藝術電影」，那麼，對不起，你這看電影的眼光並不及格了，《雙城記》只不過是一個很動人的電影故事。

甚至你那麼喜歡的《老人與海》，也是我那麼喜歡的《老人與海》，也不是一個第一流的「藝術電影」，那是一些圖畫，很抒情的圖畫吧了。

我不希望你頑固、保守，你最討厭現代詩的話，不妨和自己作對去讀十首，你可以不喜歡它們，你無論如何要對自己承認，這就是現代詩。

看不懂的東西絕不會不是東西，而且，看不懂的絕不是你一個人。許多的電影令你看完了感到沉重、迷失、困惑，那麼應該高興，許多人都是和你一樣的。

欣賞電影的人和批評電影的人的分別是前者應該選擇電影去看，後者應該甚麼電影都看，因此，欣賞電影的人要培養自己的鼻子，批評電影的人要培養自己的眼睛。記住明星的名字是最沒甚麼意思的，記住演員的名字也是在培養偏見，電影裏面表現得最出色的往往是一塊大石、一個窗，而這，是攝影機寫出來的。

也許你並不知道你自己也拍過電影，那就是當你晚上正在做夢，這就是你自己攝自己看的傑作，你將會見到一些電影和你做的夢一般斷續荒誕而感到驚異。

藝術價值和道德價值是不相干的，電影裏面牽涉到的問題是次要的，電影裏面表現的東西才是主要。

西西（一九六四年二月二十一日，第六〇五期。）

二十二

他們說電影是面鏡子。

他們該死。

自從人們把電影看作是一面鏡子以後，電影就倒了運。他們說，電影是一面鏡子，是反映現實的生活的。這當然對，你有兩隻眼睛的時候，鏡子裏的你當然就只有兩隻眼睛，你穿一件紅背心，鏡子裏的你當然也就是穿一件紅背心。這就是鏡子成為鏡子的理由。但是，他們說，這就是電影了。

如果鏡子就是電影。那麼，不要拍甚麼電影了，一天到晚去當戰地記者，拍拍你打我我打你的新聞紀錄片好了，或者，就去替一些快要斷氣的老頭子老太婆拍遺照，這樣，就可以像他們說的：反映現實。我想過的了，如果電影就是鏡子，畢加索怎麼辦？你的兩隻眼睛在鏡子裏面是兩隻眼睛，但畢加索看見你有三隻，他反映你的第三隻眼睛。你的第三隻眼睛打從哪兒來的呢？

鏡子不是畢加索。攝影機也不是畢加索。現在，我們就希望電影能夠反映出我們的第三隻眼睛，攝影機不要老那麼固執地一天到晚老老實實地把自己當作是獨眼龍。我想，電影實在可以給我們來多一點超現實的精神，譬如最容易處理的色彩上的超現實。

我們不是常常看見有人在銀幕裏邊哭呀哭麼；他們既然那麼傷心難過，我們就應該用色彩來表現他們的眼睛了。這時候，導演就應該硬把觀眾都當作是那個哭呀哭的人，把戲院裏所有的眼睛混合為那個哭呀哭的人的眼睛，那麼，本來是紅紅綠綠的街道，我們主觀地看到了一片灰濛樣，本來是漂漂亮亮的花朵，我們看見它是破碎的。看小說的時候，作者會替我們長長地用好幾頁來描寫，但電影不行，電影只能提供畫面形象來表示，不能一行行字來解釋。但看的人是要感的，既要感，就要強調劇中人的主觀的眼睛中的世界了。老叫一個演員擺出一副苦臉，流盡了眼淚還是沒有多大的作用的。因此，我贊成銀幕上發揮多點色彩，主觀的，就像馬蒂斯畫畫一般。(一)

西西（一九六五年二月十九日，第六五七期。）

二十三

有一個人，有一天早上醒來，自己竟然不知怎的變了一隻甲由。起初，他家裏的人可憐他。後來，他們討厭他。結果，這隻甲由就死掉了。

這是卡夫卡的一個小說。很了不起的，讓人讀了很刻骨銘心的。名字叫做《變形記》。

這個《變形記》應該拍成一部電影。

早許多日子，跑去看過《生葬驚魂》。那是愛倫坡的小說。我就想看看別人把愛倫坡的那個被人生葬的躺在棺材裏的人的心情如何表現出來。但是沒看到甚麼。導演把那個人往棺材裏一送，棺材又往墳地一送，鏡頭就對準墓穴，站着的人在一把把泥拋下棺材。我心想，那個在棺材裏的活人怎麼樣呢？他怎麼想？他怎麼看着外面的世界？他怎麼樣在驚恐？導演的沒理這些，他不叫我們去感那個活人的感情，不去分享他的恐懼和焦急。只叫我們看。但我不想看，我想感。因為感不到，我結果是掉掉手，跑回來了。

現在，我希望有人拍《變形記》。給我們感。讓我們就做那個忽然不知怎的變了隻大甲由的人。如果要給我們感，我們就不能看見那隻甲由。因為我們就是甲由。因此銀幕就是甲由眼中的世界，也就是觀眾眼中的世界。當人們可憐甲由時，他們是對着觀眾施捨食物，惺惺作態，當人們討厭甲由時，他們就對着觀眾掩鼻子，咒罵。

銀幕上永遠不會出現甲由，甲由的思想是用旁白來表現的。甲由有時爬上屋頂，這時，觀眾就和甲由一起在屋頂向下望，看見房中的櫥頂，地板；甲由有時躲在沙發底，這時，觀眾也和甲由一起縮在沙發底向外望，看見桌子的底，家人的下巴。當甲由死了，銀幕中的人就對着觀眾說：「你死了。」我們一直沒見到甲由，但我們感得到。因為銀幕中的人就是世界，電影院中黑暗地坐着的就是甲由。事實上卡夫卡的甲由也就是我們。

這樣的一個《變形記》應該是很可愛的，因為這也就是電影比書本更可愛的地方。讀《變形記》時，卡夫卡要對我們描寫甲由，但上了銀幕的話，甲由就和我們二位一體了。（二）

西西（一九六五年二月二十六日，第六五八期。）

二十四

湯瑪士・愛德華斯・勞倫斯，我為你難過。我為英國的第二位拜倫難過。

大衛連，他竟然把他寫成這樣，他只能描寫一下勞倫斯的形象，勞倫斯的不羈，但描寫不出他的精神。銀幕上勞倫斯不斷說：「不是這個，還有別的。」於是，勞倫斯回到沙漠去了。別的甚麼呢？大衛連，應該告訴我們，別的是甚麼。大衛連，你這糟透了的歌手。你，唉，英國人。

勞倫斯寫過《智慧的七條柱》，是一部七城記。說的只是由麥加至大馬士革的一段戰爭。他說：「我在阿拉伯前線所做的工作，我已決定不接受甚麼。內閣掀動阿拉伯和我們一起抗戰，答應戰後讓他們自治。阿拉伯人相信人，不相信組織，他們把我當作英國政府的自由的媒介，向我要求英國已答應過的應許，我不得不和他走在一起。在兩年的炮火中，他們相信我，以為我的政府也和我一樣忠誠，因此我們打了勝仗。但我極度慚愧。我從開始起已經知道，如果我們贏得這場戰爭，允諾不過是廢話。倘若我是阿拉伯人的一個忠心的顧問，我早應該叫他們回家不必再去冒險，但我一直希望當帶領他們贏得最後的戰爭後，讓他們自己握着槍，有力量自己去要求他們得到的諾言。而我，這一場戰爭，不但是要在戰場上擊敗土耳其人，還要擊敗我自己的國家和國會中的盟友。但，戰後，我拒絕了酬報，因為我已經是一個成功的騙子了。」（三）

西西（一九六五年三月五日，第六五九期。）

二十五

你知道不知道，原來我們都是神。

那天，我坐在電影院裏，一面看彼得奧圖的一副怪模樣，一面忽然快活得跳起來了。呵哈，原來我們都是神。大家當然記得《沙漠梟雄》的，記得那個美國記者的，他老是幾個子勁兒地死跟着勞倫斯，跟到了勞倫斯被土耳其人抓了去打了一頓後回到開羅見大將軍時，還是在那兒死命地跟。然後，勞倫斯跑進大將軍的辦公室去了，美國記者只好一隻螞蟻一般地在門外走來走去。他當然不能跑進大將軍的辦公室囉，大將軍又沒有准他進去，大將軍又沒有請他，大將軍要見的只是勞倫斯。

倒霉的記者就沒法了。但我們一點也不倒霉，我們這些坐在電影院看《沙漠梟雄》的一夥就不倒霉——因為我們居然全一起擠進了大將軍的辦公室去了。勞倫斯的背上滲出血我們看見了，勞倫斯說不肯回沙漠去我們聽見了，勞倫斯和大將軍吵架我們也聽見了。我們真開心，勞倫斯和大將軍都看不見我們，我們都看見他們。辦公室裏面只有兩個人，多秘密呀，但是，我們整個電影院中的人全擠在辦公室裏面，美國的記者也不過是站在門外，我們都跟進去了，我們真帥。

我們當然帥極，我們是神呀。要不是神，我們怎會有這種穿門入戶沒影沒蹤，無處不在的本領呢，有了這種本領，我們當然了不起哩。人家的秘密我們全知道了。早知這樣，那個美國的記者應該對着銀幕問問我們大將軍和勞倫斯在裏邊談甚麼，他的《芝加哥日報》就可以有頭條的大新聞刊登。他真笨，人家《風流劍客走天涯》裏邊的淑女就不笨，就會和我們這些神聊天。

是的是的，我現在想起來了，我們這些人為甚麼一天到晚喜歡看電影呢，原來是因為在看電影的時候我們都是神，我們這些神又像奧林匹斯山上的那群希臘朋友一般，最愛管人家的閒事，別人不知道的我們卻知道，別人看不見的我們都看見，我們可以隨隨便便跑進鎖着門的房間，又可以知道甚麼人殺了人，甚麼人在計劃打劫。我們知道許多的秘密，所以我開心了，所以就去看電影。

小時候老是希望自己做個隱身俠，身子一搖，人家就看不見我們了，現在，我們真的變了隱身俠了！做夢也沒想到會這麼開心呀。（四）

西西（一九六五年三月十二日，第六六〇期。）

二十六

他們搭了一個古老十八代的佈景在街上。又有龍，又有浮雕甚麼的，這是幹甚麼呀。我想。這是幹甚麼呀。我又想。後來我就不想了。那當然是拍電影。但我立刻記起了《從香港來的人》。一群小孩子全在跟着一個外國人嘻嘻哈哈。我站了站，跑過去說：拍電影嗎？他說是。《從香港來的人》？是。天，真是《從香港來的人》。我趕忙想起來了，貝蒙多來不來。來，他說，十二點正來。現在他在堅道。我來不及思想，我說，我等一回再來，他說好好好。

我跑呀跑，跑進書店，真糟，找不到貝蒙多的模樣，一本新出的電影書封面上是個大大的阿倫狄龍。但今天我不想見阿倫狄龍。我跑呀跑呀，車船車船地闖回家，翻了一疊《映畫之友》才看見貝蒙多在裏邊笑，於是我車船車船地跑回來。十二點，那裏是貝蒙多呢？那個助導說就來了就來了。

真的來了。嚇，穿那麼的一套黑禮服，但很髒，皮鞋難看死了。破破爛爛，又灰又白（本來是黑的）。但是，那樣子沒變。就是不及相片上的漂亮。他不忙，就坐在一張公園椅上。把腳也放在上面。我也不忙，上去稱他 Monsieur，對他說 Bonjour。那個助導也跑來，說我有書給他簽名，然後，我一眼瞥見一個我認識的記者，就問貝蒙多拍個照好不好。他點點頭，對着鏡頭笑笑，相片就成了。助導的說他肚子餓，下午才演。我想，也好，現在不看你演，就對他說 Merci，就跑了去上學。

他們一連拍了三天。星期五我又跑去看。貝蒙多還是穿那套衣服，我拿了那張沖好的相又跑去對他說 Bonjour，他戴了個綠色的太陽鏡。簽了個名，把名字簽在相片中我那件大衣上，肥肥的字，全是圈圈。今天，他才了不起，演一幕十二名香港流氓追他打的鏡頭，他就爬上很高的竹棚（事實上是從樓上窗子鑽出來的），然後，在四樓那麼高拉着一條繩打鞦韆般滑下來，這人膽子並不小。他拍了兩次，第二次滑下來時，腳太長而碰上一條竹，將來銀幕上不知道用不用。想想，做演員也真辛苦，像個乞丐滿街坐。如果叫我從四樓拉了繩滑下來，我才沒這膽。（五）

西西（一九六五年三月十九日，第六六一期。）

二十七

法國就要打仗了。

別怕，別怕。這場仗是打不死人的，而且我們誰也不必擔心有人會流很多的血，有人會回上帝那裏去。我們當然不必擔心，因為人家戴高樂總統也不擔心，人家穆維爾外交部長也不擔心。這場仗並沒有核子彈，沒有洲際飛彈，也沒有核子潛艇，所以別怕，別怕。

到了三月三十日那天，到了那個星期二的那天，法國的導演啦，製片啦，這一伙人就會和政府打大仗了。打仗的方式就是把全國的電影院的門全打開，穿得漂亮的紳士淑女們和穿得古怪破爛的拉丁區少年一樣可以自自由由地跑進去。看阿倫狄龍嗎，行行行，看貝蒙多嗎，好好好，看碧姬芭鐸嗎，准准准，一個錢也不收。隨你高興看甚麼就看甚麼，看那一間戲院就進那一間，坐甚麼座位就坐甚麼座位。總之，到了那天，全國的電影院就像是你開的，你高興從大清早坐到半夜三更也沒人把你趕出來，也沒人敢向你要半個法郎。

這種仗有趣吧。香港就從沒有打過這種仗，那伙導演的、製片的是不是瘋了呢？還是康城電影節太高興了，對影迷客氣了請客麼？啊不不不，他們不是請客，是打仗；是和政府打仗。他們說政府很黑心，吃掉電影院很多麵包。於是就要打仗。

每個人看電影都要付錢的，因為大家都不是項羽。付了錢就可以去看電影了，但是錢不是全付給電影院的，法國政府一抽抽了百分之二十四。於是，導演啦、製片啦就起來革命了。他們說，政府抽那麼多的稅，我們怎夠本呢，不夠本電影就拍不下去，電影拍不下去那麼就要死掉了。這樣，阿倫狄龍只好像十七八歲時那樣回去當水手了，碧姬芭鐸也只好去當當時裝模特兒了。於是，他們就打仗了。你這個政府想抽稅嗎，好，每一張入場券你要抽百分之二十四嗎，好。我們整天免費，不賣入場券，一個子兒的稅也不交給你這個政府，看你還收甚麼稅，他們說：人家英國西德就不抽這麼多。

唉唉，可憐的法國呀，可憐的貝蒙多呀，可憐的狄龍呀。（六）

西西（一九六五年三月二十六日，第六六二期。）

二十八

電影應該像一件「嘉泰蓮娜」的毛線衣。

電影應該像一個瑪麗亞安德遜的演唱會。

電影應該像一篇刊在報紙上的小說。

現在說電影應該像一件「嘉泰蓮娜」的毛線衣。這種毛線衣，和許多漂亮的毛線衣一般，都是掛了個招牌的。每件毛線衣一張，上面寫了許多的字，甚麼的廠出品啦，甚麼質料啦，毛線衣的特別的名字啦，配甚麼袴子啦，怎麼洗啦，多少錢啦，一大套。這麼的一大堆東西都是和毛線衣有關的，但是，出這件毛線衣的廠並沒有把這大堆東西繡在毛線衣上，最多在領口裏邊釘上小商標說明是美國的、嘉泰蓮娜的，就夠了；其他的一大堆東西，就印在紙上，掛在衣扣上算數。喜歡的人把它留着，不的，就把它扔掉，隨自己高興。

現在再說電影應該像一個瑪麗亞安德遜的演唱會。你想知道它唱甚麼歌，是哪國人，歌的作者是甚麼人的話，音樂台上是沒人給你說的，你應該去買一份節目表，因為演唱就是演唱，甚麼歌，甚麼內容，甚麼人這些雖然和音樂會有關，但是卻和歌曲本身沒關。你參加過一些音樂會的吧，就說周報的音樂會吧，合唱團的同學站在台上了，有沒有人一個一個去把他們介紹給我們呢？當舞台上演話劇的時候，一開幕就演戲了，會不會把演員一個個介紹一番呢？演員表是印在節目表上的，不是放在舞台上的。

現在說電影應該像一篇刊在報刊上的小說，每篇小說都是這樣，一大堆的字，開頭是題目，跟着是作者的名字，這不也夠了嗎，就像《天龍八部》，金庸，不是夠了麼，難道還要說明編輯的名字、校對的名字、排字先生的名字麼？

我是說，現在的這些電影片頭太長，名字太多了。誰有興致看那麼多的名字呀，銀幕又不是書本，逼我們看字做甚麼呢。只要把片名映一映就該言歸正傳了，把編導、演員，都印上說明書上去吧，這樣，電影的菲林可以省下許多，我們也不會悶死了，片頭設計的先生們也可以安安心心去畫正統的畫了。《碧血長天》就是開門見山的，四十多個明星，一個名字也沒見，全印在海報上，那多好！〔（七）〕

西西（一九六五年四月二日，第六六三期。）

二十九

城內好熱鬧。大家全跑來看《八又二分一》了。一牆人，全是城內的面孔，我一下子就想起來了，這是像甚麼呢？像法國的星期二沙龍，讀波特萊爾的詩的那段日子。我最喜歡星期二，因為法國的一些詩人囉、畫人囉、樂人囉，老是在星期二就跑到羅馬街五號去聊天，大家自自然然地一到星期二就見面談個夠。我就想，我們這裏的人如果也有那麼的興趣聚在一起耍就趣了。現在我們果然這□□□□來，也沒誰規定的，大家在星期二就跑上大會堂看電影，去快樂一個晚上。嗯，多來些人吧，來見見愛森斯坦吧，見見費里尼吧，今天，有《八又二分一》看。

很好很好的《八又二分一》。很豐富很充實，很多東西，是個大大的萬花筒。偌大的世界就從一個人的身上展開，我們就追蹤他的意識的流向。有時是學，有時是幻想，有時是回憶，有時是先覺，有時是剎那印象。那些女孩子各有各的造型，那些風物各有各的面貌，我想，這個電影真帶有濃厚的哥德式風味呀，費里尼老是在帶我們向上升，向高空攀越。但塵世的物象又可愛極了，樸實得像個有教堂有石穴的村落的農戶，白得耀眼的泉和陽光，很意大利很意大利，還有那個知識分子典型的馬車路（我這樣叫他，其實應該是馬斯杜安尼）。那個用不着開聲說話而美得像神的 CC，還有很多人，演得那麼活，那麼純，醉死了許多我們這種朝聖者。但你呢，你呢，你在哪裏呢？

決不是英瑪褒曼，他是顯微鏡。費里尼徹頭徹尾是個萬花筒，剪輯也是，連打燈光也是，音樂都是，你轉一下，所有的碎玻璃全移了位置，呈現出新的姿態來。費里尼要說的總是從一片草葉蔓延到整〔個〕世界，他是一個演繹人，不是邏輯人。費里尼的作品像水，是動蕩的，放在臉盆裏就圓，放在浴缸中就方，他和愛森斯坦多不同，愛森斯坦的線條是直的，直的像杜浦菲的畫。

但是，你有沒有來呢？你有沒有看愛森斯坦，看費里尼呢？如果沒有，我這樣對你說你是一點兒也不知道我在講甚麼呀。喔，但願你也曾來，也曾看過。要不，下次你該來了，在星期二，來踏遍這些以光線織成的電影花氈。（八）

西西（一九六五年四月九日，第六六四期。）

三十

大家都擠去看《窈窕淑女》，滿呀滿，滿呀滿，擠死了。那麼，馬車路呢，珍摩露呢，狄倫呢，麥蓮呢？大家怎麼不多去擠擠蘇菲亞羅蘭，不多去擠擠英格列褒曼呢，真是不公平了。我一跑就跑去看《黃色香車》，珍摩露在《祖與占》裏面演得「全天下最好」的樣子，我做夢時還記得，所以就結結巴巴趕去了。珍摩露人真趣怪，說她漂亮嘛，又不是，她臉腫腫的老有點怪，可是她可以一分鐘裏變幾十種表情，笑笑的時候板起臉，哭哭的時候咧嘴笑，你就是拿她沒辦法。狄倫這次演意大利的小伙子，那種勁倒是演對了，他老是殺氣很重的，但傻氣神氣帥氣都極可愛，糟的是他的英語還是差差差，如果不演意大利小子時怎行。莎莉麥蓮的邪氣又出了，想想，實在沒有人可以替她這一席位。英格列褒曼似乎還是很英，只是多了點脂粉氣，我寧願她握管槍持把劍，不要穿淑女小姐的晚禮服。

演員都對極了，《黃色香車》裏每個人都演得叫你沒話好說，虧得那個導演那個製片，了不起了不起。然後就是第昔加了不起了，我看許多莫拉維亞的小說，看不出甚麼印象，但第昔加一來，我就跟着他嚷意大利，電影這東西真厲害，第昔加這老頭子也真厲害；但厲害的還有那個馬思杜安尼，他的道行真是莫測高深的，狄倫最多是個陳家洛，馬車路大概是個楊過。《昨日今日明日》裏的第一個馬車路的樣子簡直可以和貝蒙多在《戰地兩女性》演的米修比劃比劃，叫你覺得他可憐死了，到第三節時，那個馬車路，喔，也不知他那裏來的招數，居然活潑得像一隻風箏。於是，蘇菲亞羅蘭也沒他辦法，演也演不過他。蘇菲亞羅蘭第一段裏才是最最意大利的，加上《黃色香車》裏最最法國的珍摩露，最最美國的莎莉麥蓮，這一個復活節假期的電影，太熱鬧太開心太可愛啦。

這樣子的一些電影是很好的，藝術和「娛樂」居然手拉手變了好朋友，如果世界真這麼成長下去，我們也不必老把大會堂當作菩薩了，神是應該無所不在的呀。（九）

（東東：你沒留下地址，我怎麼告訴你呢？）

西西（一九六五年四月二十三日，第六六六期。）

三十一

一點兒陽光的影子也沒有。所以我說，《窈窕淑女》不是一部「素描電影」，因為它一點兒陽光的影子也沒有。一開場的時候我就找了，很小心很仔細地找，結果，還是找不到一點兒陽光的影子。

《黃色香車》的意大利那節充滿了多可愛的陽光呀，狄倫被曬得那麼黑黝黝，太陽眼鏡老吊在額上，到處都是光線，都是投影。《昨日今日明日》的第一節也是，街道、行人、橙子都一地散了，很有光的層次的，這些光居然那麼漂亮，完全是因為拍攝時頭上有個大大的太陽。

《窈窕淑女》，美術指導花了很多的心血，舞會賽馬都以白色為背景，對比街道陋巷的黑，來形成強烈的寫照。服裝呀，姿態呀，又都設計得和諧而又超脫，一看上去，美得出奇，但是陽光呢，沒有陽光。它原來美得那麼蒼白。蒼白得自有一種風格。

因為沒有陽光，我們趕緊要向攝影指導致敬了。這部片雖然是一部「下雨天留客，天留人不留」的材料，經過導演用了頗新的電影標點符號（菜場和馬賽中的呆照式停頓）來表現，已經剪輯得很可愛了，但如果不是攝影指導控制了全片的光的話，一切都會站不穩的。

因為沒有陽光，因為這是一部片場內的電影，用不着拍甚麼外景，所以打燈就成了整個戲的靈魂了。沒有陽光的畫面會怎樣呢？沒有陰影，沒有深淺，沒有浮突，沒有線條，沒有輪廓。但攝影指導還是把畫面呈現出來了，片中的白，白得坦率，片中的黑，又黑得深沉，每個人的臉都那麼清晰，攝影指導明知這是一個「音樂劇」，不是第昔加的「寫實」，於是他敢於絕對地從現實的光線範圍中踏出來，讓我們看到招貼畫一般的銀幕景色。

清晨的菜場，如果拍攝陽光漸漸斜照，氣氛當然是很濃的，但如果這麼一來，音樂劇的可愛也就失去了許多的光彩了。因為音樂劇總要帶點超現實的風味才美的。

這一部片，功勞最大的實在是攝影，室內景物拍得那麼白那麼清那麼純，用的都是技術。喜歡把電影稱為藝術的綜合的，這部片倒是對了。（十）

西西（一九六五年四月三十日，第六六七期。）

三十二

我說古老十八代的那些電影好。

那種電影真是自由自在的，彷彿看電影的人自己都拿着一把把剪刀，對一幅圖畫釘一眼，剪一剪，對另一幅畫又釘一眼，剪一剪，真爽快。剪呀剪，電影就拼成了，活像砌圖遊戲。

現在的一些電影就不了，長呀長，大家明明拿着剪刀，但沒地方好剪呀，因為電影是有對白的，你總不能在一個人說了半句話的時候一剪剪掉，你就要像被人牽着鼻子走路一般跟着等等等。唉，剪刀是沒用了。大家都懂的，玩砌圖遊戲總是碎片多才好玩的，如果一塞塞三四塊碎片給你砌，不過是把你當作一個幼稚的小巴西，有甚麼好玩。

剪刀是沒有了，腦子也沒甚麼用了，大家都可以偷懶了。在一部古老十八代的電影裏，畫面黑黑白白，大家就可以玩猜謎遊戲。這個人的頭髮大概是棕色的，那個人的鞋子大概是黃色的，隨自己去想，一個大盜被人一槍射穿了胸膛，血全流出來了，黑白片裏的血雖然是黑的，但是，大家全明白是紅的是紅的，沒有人需要解釋，因為大家都懂的。現在的一些電影就不了，彩色片裏面充滿了顏色，紅紅的血，黑黑的頭髮都拍出來了，你只要看，用不着想，有甚麼好想呀，人家把顏色都拍出來了。在黑白片中，大家可以想像配上顏色時是怎麼好看，但一有了顏色，大家就會說，這麼這麼的配法不好看，猜謎語的趣味也沒有了，有甚麼好玩。

默片的時候，大家也不必擔心銀幕上的人說甚麼，不管說的是法語、英語、阿拉伯語，我們是聽不見的。如果兩個人在吵架，我們也不必知道他們用甚麼話罵，罵些甚麼，總之，我們知道他們在吵架就行了，覺得兩個人在吵架就可以了。現在的電影就不會輕易地饒了我們，如果兩人在吵架，他們的對白全會跑進我們的耳朵，而且，最要命的是，我們是被逼的呀。至於那些聽也聽不懂的對白，一大堆的字幕把我們團團困住，有甚麼開心。

我說古老十八代的那些電影好。（十一）[1]

西西（一九六五年五月十四日，第六六九期。）

---

1 此篇文末原無編號，隨後兩期則同時編為十三。估計是編號出錯，故重編六六九、六七〇兩期文末編號。

三十三

真給那個稻垣浩氣死。他真是天真了。稻垣浩這傢伙和黑澤明好像兩人定下了無條件協議，大家河水不犯井水，阿黑絕不拍彩色片，阿稻則專拍彩色片。我呢，剛好死命地喜歡阿黑的黑白和阿稻的彩色。這次，卻給個稻垣浩氣死。

《奪魄神拳》（也不知奪他的甚麼魄，神他的甚麼拳）裏面的彩色，老實說，就不精彩了。除了那場海鷗亂爭了一頓有點和路迪士尼味外，其他的全是一片綠油油，海也綠，山也綠，因此，看了個大半天，只記得電影中最獨具色彩鶴立雞群的竟是一面黃龍丸的四方旗。

戲開始時銀幕上的一列面具中居然有個「子曰食色性也」的那個武士戴的面具，[1] 這片用面具做字幕的設計沒甚麼力量，既不象徵，又沒意義，不知稻垣浩的葫蘆賣甚麼藥。

我一直看得不怎麼起勁，但是，後來我開心起來了，日本片老是說武士怎麼怎麼了得，怎麼替農民出氣，這次可好了，這次是說武士糟透，於是我像看到了美國騎兵被紅番打得落花流水般熱鬧的開心。再後來，我又開心了，窮小子被武士搶回了鳥籠，一竹篙把他打落水，然後撐了船走，窮小子就在孤島上呼喊。這時，我心想，好了，完場了吧，這結尾甚妙，瞧，人就是這樣的，你根本是個應該保守孤獨的生物，人和人的交往是最重的負擔，感情最累事。那很好，我想，有點被困於天地，永遠叛變不成的

1 此句出自《孟子・告子上》，原句為：「告子曰：『食色，性也。仁，內也，非外也；義，外也，非內也。』」

悲哀。

可是，去他的稻垣浩，他卻加起尾巴來，窮小子居然像《基度山恩仇記》般死不掉而跑回來，交上了好運。稻垣浩真是太天真啦。世界真是這樣的話，叫薛西佛斯怎麼辦？不過，窮小子和小公主的戀愛倒是頂可愛的。稻垣浩是有點聰明的，他偷了點希治閣的《鳥》，偷了點《港澳輪渡》的颶風，砌成《奪魄神拳》，不過，這部片只有日本的面貌，沒有日本的靈魂在。

有一種電影像石膏像，美成一種型。稻垣浩從來沒有過，他的色彩如果再主觀下去，實在可以成為電影界的瑪蒂斯。《窈窕淑女》和《夢斷城西》都做了石膏像，稻垣浩還沒有。（十二）

西西（一九六五年五月二十一日，第六七〇期。）

三十四

你是怎樣看電影的呢？

跑進電影院，買票，入場，坐好，睜大眼睛。

於是散場了你就出來。

有個人問你，這電影怎樣？

好。你說。好些甚麼，不知道。故事很好，很動人，很有意義。

不好。你或許說。不好些甚麼，不知道。故事不好，不動人，沒甚麼意義。

啊啊。你這樣子看電影，不及格不及格不及格。

或許你說，畫面很美，但畫面美是美術的事。或許你說，音樂很美，但音樂美是音樂的事。或許你又說，電影是綜合的藝術，畫面音樂都是藝術。但是，電影實在不算是綜合的藝術。

你以為電影是個大冷盤甚麼的嗎？我們那麼地喜歡電影，我們還是學懂怎樣看電影的好。從今天起，不，該是從現在起我們一樣一樣來。這幾天，如果我們去看電影，不管是《聊齋誌異》、《痴情淚》，不管是很應節的狄龍的《喋血街頭》，還是露五分鐘面的芭鐸的《運財童子》，心理一早先準備好，不要給主角或故事迷昏了腦袋，一定要學看一樣東西。

看甚麼呢？去注意影片中一切的跳接的地方。甚麼叫跳接，怪名詞化，悶極的。喔，不的，跳接很簡單的，你懂跳遠麼，從甲地這麼的一跳，停下來時，腳踏在乙地上。中間的那些全部是不重要的，重要的就是甲和乙。重要的是怎樣由甲到乙，為甚麼要這樣子跳法。

跳接是電影中出現得最多的，你見《窈窕淑女》裏賣花女公主般地去參加舞會時上樓梯麼，樓梯多長，但我們最多看見她踏過五級，第一步是上，第二步已經在中間，第三步已經到了樓梯頂，如果把她上樓梯一級級攝影，才悶死人，現在一縮就縮成了三個畫面。多好。

跳接是把畫面連起了的一種方法，有時候，我們叫它轉位，電影好不好，要看轉位。跳接是轉位的一種方法。（十三）

西西（一九六五年六月四日，第六七二期。）

第二部分

《中國學生周報》
非專欄文章

今日的日本影壇

《同命鳥》，真是一部好電影。

《七俠四義》，真是一部好電影。

好電影是哪裏來的？原來是日本來的。日本這國家，現在可不得了，不但是亞洲的電影王國，還可以和意大利、和法國比賽，而且，我們坐在家裏，忽然又聽見日本的電影在康城電影節中獲得了獎，忽然又聽見是舊金山的電影節又頒給日本電影一個獎，要不就是威尼斯電影節中日本電影贏得了又一個獎。想想，電影這東西在日本真開心，日本人有許多好的電影可以看也真是開心。但是，日本的影壇在今日原來一點也不開心，拍了這麼多第一流的影片，贏得了一連串的國際特獎，日本的影壇還不開心嗎？是的，日本的影壇現在一點也不開心，不但不開心，還在擔心，擔心自己的影壇會倒霉下去。

為甚麼要倒霉呢？說起來是最簡單不過的，因為：人家不上電影院去了。那豈不糟，電影無論如何是要放映給人看的，而人家不上電影去了，那等於說：電影院要關門了，製片商要虧本了，演員是用不着了，製片公司要轉行了，「觀眾不上電影院去」便是電影事業最頭痛的事。這情形，美國也重演過好幾次，美國現在也還沒有徹底能夠解決。

那麼，人們為甚麼不上電影院去呢？理由可多了，首先，這要歸咎到日本是一個進展得太快的國家，日本的電影事業的發達使我們很容易想像這個國家內的電視是一個怎樣蓬勃的樣子，所以人們寧可坐在家中看電視而不上電影院去。全日本現在普遍分設有一千五百萬具的電視，只次於美國而坐了第二把交椅。其次，便是由於電影院的票價太過昂貴的緣故，而且，叫一個觀眾伸長了脖子在電影院中坐二個三個鐘頭到底不是一件有趣的事。但這二個原因還是其次，最大的原因卻是：值得一看的電影太少了，電影的出品不少，數量上超過美國和印度，但值得一看的卻太少了。一九五四年是日本電影史上的黃金時代，這年的觀眾也比歷年多，這一年的成功是因為全年有超過十五部的第一流水準的電影，但一九六二年呢？人們連五部也很難找得出來。現在是一九六三年，第一流水準的影片還是數不出有四或五部正在攝製。

問題又得轉移一下了，為甚麼一年製出這麼少的水準作品來？這又是電影製片公司的事，通常來說，製片公司的要求是投了一筆資本，要在日本本土中賺回來，最重要的便是「賺回來」，這「賺回來」是不理這影片可不可以在國際影壇中爭一席地位的，只要適合大家的趣味便可以了。事實上，一部在國際電影節中得獎的影片，往往「賺不回來」是非常普通的一件事，至於一般大的製片公司居然投資拍攝第一流的虧本的傑作，完全是因為他們自己另有經濟來源可以填補，或者是地產，或者擁有鐵路，壘球隊之類。但虧本太多，是任何一個生意人所不為的。

日本人最值得讚許的是，他們不但提高自己的生活水準，也提高了自己的藝術水準，他們會來一下「不屑看低級趣味的影片」，這才成了真正的「人家不上電影院去了」的真正的原因。但好電影還是受到了極大的歡迎，這，無異是日本觀眾所給予真正的電影工作者的最大的鼓舞。像黑澤明，他的新作《天堂與地獄》的收入比他的《用心棒》和《穿心劍》的收入還多，這是大家對這位導演很有信心的緣故，而事實上，《天堂與地獄》卻並非第一流的作品，而是非常有趣的一部而已。一方面也因為一九六三年實在沒有甚麼值得欣賞的電影，只要一見到黑澤明，大家便也極有信心地去捧場了。另一方面，大家很清楚的演員像三船敏郎、仲代達矢、香川京子、三橋達也都在，他們全是黑澤明演員單上的老伙伴。

既然觀眾喜歡第一流的電影，事情豈不簡單，只要製片的拍攝好影片，日本影壇便可以不必倒霉了。但是，大製片公司是不做虧本生意的，他們又不會重用日本的優秀導演，至於有才氣的導演，如果自己組織獨立製片公司勉強湊足錢拍一部電影出來，卻又沒有地方可以放映。日本的電影院全是受大製片公司控制的，像東寶的電影院只放映東寶的電影，別的影片休想插足。

最值得高興的還是最近日本組織了一個「藝術電影院連鎖」把東京、京都的一些電影院連合起來，放映一些外國的或者本國的獨立製片的電影。但因為沒有大製片公司支持，廣告又做得不夠，即使有許多好的影片在國外大受讚賞的，也只是默默無聞地映完了便算了。另一方面，大製片公司又控制了演員，使他們不能自由拍片，不能為獨立製片公司效勞。目前，日本影壇唯一的生機便是有一些製片和演員自己組織製片公司，像三船敏郎便自組了一間「三船製片公司」在菲律賓拍製一部《五十萬〔人的〕遺產》，他自己製片，〔找〕演員，還參加演出。另外一個是石原裕次郎，他正計劃和意大利合作一部意日的《採珠人》。[1] 不管這些製片公司的前途如何，但他們至少帶給了日本影壇以一線新的希望。

愛倫（一九六三年七月五日，第五七二期。）

1　查石原裕次郎生平，未能找到此作，應未拍成。

血債血償

這一部電影：

說的不是故事——沒有人編的故事，沒有劇本，而是歷史，是許多人弄出來的一個大悲劇，名符其實的是一套「人生舞台」。就因為是「真」的，真的毫不掩飾，就不是一種藝術，不是美的，而是醜的。要看的所以也不是藝術，不是美，而是那種真，真得叫人難過，真得醜惡，但那是事實，那是每個人知道的事實，該去看看的也就是那事實的一種樣子，一種面目，一種體態。

演的不是演員——沒有人在演劇，沒有演員，而是「天才」的演技，在生活。每個人都在演，在演人生，希特拉、戈林、希姆萊這一群在演，張伯倫、赫魯曉夫，這群人也在演，不但在演，他們還是自己給自己導，自己給自己編，自己給自己序幕落幕，所以，這就是「生活就是舞台」，這些大明星也一樣又紅又紫，然後又黑又白的。

藝術不是藝術——攝影的不是製片人請來的黃宗霑，而是國家派去的戰地記者，求的是「寫實」，拿出來的不是「唯美」，而且，像接力賽一樣的，這邊一鏡，那邊一景地集起來，可以像哈巴狗一般頭尾不分，但總算是流水序，一一道來。其中有幻燈片，有素描畫，有默片啞劇，但要看的不是藝術，這部影片給大家的只是一塊天然的巨石，不是羅丹手下的雕像。

是很悶的，是很水皮的，是很散的，是七零八落的——是不夠曲折離奇香艷肉感恐怖的，不過，我說，這個電影好看。好看，因為一本歷史教科書上無論如何印不上那麼多的圖畫，也配不上聲音，又因為，要找遍一九四一年起的舊報紙也簡直是在做夢。

倫士（一九六三年九月六日，第五八一期。）

有好有壞都說出來

這個電影也有不好的地方，快快說掉它們：

一些場面的處理不夠深刻——像那個小孩子去拋手榴彈時，留給觀眾的懸點不夠，而且過場太快了，彷彿連一點可以為他悲哀的時間也沒有。

巷戰的範圍不廣——像來來去去那麼小貓十多隻地據地為戰，使人不能相信大坦克車居然被嚇怕了，導演如果用一個鳥瞰鏡頭拍攝那不勒斯的直街橫巷都是人（像《夢斷城西》攝紐約摩天大廈，或《碧血長天》攝奧馬哈登陸時飛機俯衝的樣子），氣勢要逼真得多。

不夠壓縮——片太長了，開場的高潮不夠緊湊，而且時間花費太多，包括了殺水兵，貼招紙，拉壯丁，後半段卻又散漫，完場時的鏡頭且模糊不清。

不過，這個電影可取的極多，善用搖鏡頭是一特色，包括了拍手，看火燒，看樓宇等都是，演員們的演技好是必然的，難得的是一般的市民都規規矩矩，總之沒有人看着鏡頭。

那不勒斯的樣子也表現得忠實，房子道路小巷都增加寫實之氣氛。戰爭，加上那不勒斯，加上導演製片，就弄出很值得珍惜的作品了，而在地球這一邊，戰爭，加上香港，加上導演製片，還是弄不出甚麼來。

可以看得出，這樣的一部電影，絕對省錢，只是氣氛上，是比不上《魂斷奈何天》的了。另一方面，和《魂斷奈何天》不同的是，這不是說故事的電影，而是反映的鏡子，一座雕像和一塊大石當然有所不同。

倫士（一九六三年十月四日，第五八五期。）

我們的電影在哪裏

和朋友們走在一起，一開口便說香港是個有很淒涼的文化的城市，大家總是在想，甚麼時候我們可以出版一兩本像樣的詩集，一兩本像樣的文學刊物，而這些話，一說居然說了七八年，我們總是說得太多，做得太少，因為，到現在，香港的文化仍然很淒涼。

是這最近的一年，我們說的還是老話，但是，卻不是僅僅出版一兩本詩集、一兩份文學刊物就可以滿足了，最近的一年，我們都在談電影。喜歡文學的談電影，喜歡音樂的談電影，喜歡繪畫的談電影，喜歡電影的當然更要談電影。

電影，我們正在說這部電影不行，那部電影要不得，這部電影的導演連 ABC 都不懂，那部電影又像翻版唱片，我們總是說：「如果讓我們來拍，絕不會那麼糟！」而我們，我們從來就沒拍過甚麼電影出來。我們走在一起時說：「我們何不來拍一下子呢？」結果我們還是沒有拍一下子。說的時候易，批評的時候很起勁，做的時候就難了。

當然，找男女主角不難（我們犯不着捧紅誰），找臨時配角也不難（滿街都是人呀！），找劇本也不會有甚麼困境的（朋友中多的是拿得起筆的咪書人士），可是經費呢？導演呢？時間呢？拍完了又給誰去看？拿到甚麼地方去放映？我們還很明白，我們到底不是意大利的戰後青年導演，也不是美國東岸的新電影群，我們弄出來的東西還絕沒有資格拿去參加任何一個國際影展（亞洲影展是行的，但我們又會不屑去）。

我們甚麼也沒做出來。

昨天看到一本「學生雜誌」（The Student Vol. VII 1963），裏面有一篇是一群大學生如何拍一部電影的描述，這些學生的國籍、工作地點並不值得我們重視，但他們居然拍出一部像樣的電影，尤其是他們工作的過程、毅力和信心，很叫我們知道了而無話可說。

有一群學生，住在一個大城市，他們都是一間大學的同學，在大學中，他們組織了一個電影協會。在這城市的郊外，有一個村落，這些學生常去旅行，多年來發現這樹木茂盛的村落已經逐漸發展成為現代的市鎮，於是，他們想到以這村落為題材，拍一部短片來記錄它的演變過程，題名為《青青的農莊》。而這，是一九五八年的事。

理想有了，他們立刻計劃起來，最困難的是經濟和攝影配備這二項，因此，他們直到一九六一年才真正開始工作，先是派了七個人到村落中睡在帳篷中工作。這工作得到了村中人的合作，會員的協助，一共拍了一百二十天，聽起來，一百二十天並不算多，但是，這些人全是大學生，他們不過是在星期六入村，星期日或星期一早上又得趁火車，趕回城市中上學去，尤其是碰上了考試，大家不得不暫停起來。不過，他們成功了，拍攝了三千七百呎菲林，可以放映四十三分鐘。起初，他們自己要蓋帳篷，後來，村人才借了村中的大會堂給他們居住。大學一年級的學生的工作比較少，一般上都是大三大四的工作最重，尤其是修法律的最空閒，還當上了導演。

有時他們在山上拍攝，遭遇連夜的大雨，初春時又遇上下雪，夏季碰上風暴。他們的財政來源是來自協會，校方，和村民，拍那部片一共用掉了港幣約一萬多元（折合算）。但是電影是完成了，電影完全是事實的，村落中的四季，農人的臉部活現在銀幕上了，令人驚訝的是，這一部電影的攝影技巧，和表現手法都像出自職業人員之手。

總之，電影是給人家拍成了。

我想，事情其實還是很簡單的，是為與不為以及能與不能的老問題，終有一天，香港還是會拍出好電影作品來的吧！我們不行有「你們」，你們不行還有「他們」的。

倫士（一九六三年十一月一日，第五八九期。）

開麥拉眼

如果塞尚在，一個蘋果可以拍成一部電影作品。一個蘋果沒有甚麼故事可以被人陳述，蘋果就是蘋果，它甚至並不需要容納很多哲學，但如果塞尚在，一個蘋果可以拍成一部電影作品，塞尚可以展示一個蘋果的形態，塞尚有那麼的開麥拉眼（camera eye）。

電影作品從來不是陳述故事的，因為作品並不是為了陳述故事而誕生。（這裏並不否定陳述故事的作品是作品。）嚴格地分析一下，故事總應該循例有一個起始，有一個終結，而自有人類以來，這許多世代的歷史那麼巨大的故事實在還不曾有一個標準的起始，也還沒有一個可預測的終結。電影作品所取的只在截剪一個較大的「故事」的一段時間上的虛像，或者搜捕剎那的空間存在。電影作品實實在在就在展示事物當刻的形態。因此，在評判一個電影作品的時候，就要去經歷一下作品所給出的形態來。

無論是哪一類電影作品，都多多少少地在展示一些東西：有的作品展示的是最能被接受的中心事物，這一方面，決不能稱之為膚淺；有的作品展示一些較為深沉的主題（或者沒有主題的主題），這也並不等於過分。無論是哪一類的電影作品，在表現上可以被分別它的能力，而不是在展示點上被選擇；僅僅以二條魚而說，畫一條完整的魚和畫一條肢離破碎的魚對一個藝術家來說並沒有多大的分別，那不是魚的癥結，而是藝術工作者的才賦的測驗。因此，試把《野草莓》移過我國來製作，結果會使人難受，也試把《紅樓夢》借給英瑪褒曼，他必定可以舒展以往的陳舊以一種新鮮。沒有人否認《紅樓夢》是通俗的，只是總缺乏了給它以生命的再造者，連羅米歐與朱麗葉，也一樣在《夢斷城西》中復活過。

最能被人接受的電影作品很能夠奉獻出一個外在熟悉的面貌，並且總在作品中努力去工作一個完成，所有的片斷都在趨向同一的目的，要達成一個結果，像在歐洲開闢了無數的大路，最後到達了羅馬。電影並不是在講故事，但它恆旋轉於因果之間，逐漸遂形成了一種習慣，只要字幕一亮，因果二種關係便誕生了。希治閣的《鳥》給了一連串的因，但沒有果，就會使人不習慣，這不習慣完全是由於因果的理數已經在個別的內在生了根。

在歷史的過程中，因果自然是定數，但也必定有非因非果，超因超果，或者形而上的大因大果，這些一旦走進電影作品，叫那些生了根的習慣如何處理。喬易斯的《優力西斯》，不是故事，也不涉及因果，只呈現一連串的事態：勃龍。一個人。街上天天可見的人。一九〇四年六月十六日星期四。一年中任何一天都會是的日子，他早上起來。上街買一 kidney。回家。攜早餐給妻。上浴室。參加喪禮。回報館工作。逛博物院。逛圖書館。午餐。入過酒吧。餐室。探望死〔者〕家屬。在海灘小坐。往醫院一行。醉酒。妓館。和一友回家。朋友離去。他上樓睡，向妻子報告一天生活概況。這當然不是故事，一連串的面貌，一面都柏林城的鏡而已。把這些碎片處理進一部電影作品似乎相當荒謬，事實上，習慣已經叫人去尋找高潮，發掘意義，追求價值，這等於在碼頭上攔住一個匆匆忙忙過海的白領階級，詢問他一天中在寫字間打字的高潮，中午擠在插足不下的餐室中的意義以及晨早搶乘巴士電車的價值。生活在現〔代〕都市中的每一個人都是勃龍，而電影作品很少展示這一刻的勃龍的形態，一年三百六十五天之中，勃龍有三百五十天是相同的，剩下來的或者是荒誕的勃龍，戀愛的勃龍，憤怒的勃龍，電影作品喜歡展示的居然就是那十多天的勃龍形態的少數。電影作品捨棄博大，平凡，單純，替代以複雜，偶然，狹窄，電影作品之取捨是針對人類對複雜、偶然、狹窄的偏愛。沒有人願意穿同一款式的衣服，沒有人喜歡大自然中只有一種花，電影作品便以特殊來取悅眼睛。

少數的電影作品揚棄特殊，走向廣闊，抽取單純的事物，但集中表現，這便是當代電影努力的路向，而因為這些電影作品突然回舵，會叫人猛然間來不及整理自己的情緒而致沒法適應，比較起來，當面對一種失落感時，我們實在應該有建設的喜悅。

《優力西斯》正是塞尚的蘋果，沒有甚麼故事可以被陳述，但正是這形態，要今日的電影工作者把開麥拉眼移向它面前。

倫士（一九六四年三月二十日，第六〇九期。）

電影作品、藝術電影、電影

C是一個電影。C就是一種東西，一個存在物。我們都去看C。看C這樣一個東西的特徵或異端：C是不以文字表達思想的，C是不以線條描繪形象的，C是不以音符記錄聲音的。我們都去看C，看這樣的一個存在物如何生存於攝影機與物象之間，銀幕與放映機之間，畫面與眼睛之間。我們都去看C，然後，我們表示意見；我們喜歡C或者不喜歡C，我們開始尋求以喜歡去傳統C，以不喜歡去反叛C。我們並且深入研究C這樣的一件物品，我們繼續發問：C是甚麼，C應該是甚麼，C已經是甚麼。必需先為我們給出C的諸貌，我們才可以給出我們的意見。我們乃是先看電影後寫影評；先有物品，後有理論。當看了一個電影之後，我們喜歡或者不喜歡都是最直覺的批判，正確的說法並不是喜歡和不喜歡的關鍵，而是對電影本身作一個審察，作一個比較。我們都去看C，但C是甚麼？C可能是藝術的C（藝術電影），可能是C（電影），可能是C作品（電影作品），喜歡三者之一的人並不一定會喜歡三者之其他的二分，不喜歡三者之二的人也許會喜歡三者中之另一。純以電影本身來說，這三者在本質上雖然相同，在性質上是絕對相異的三種東西。

C是甚麼？　C可能是C，C就是電影，電影又是甚麼？我們走進餐室，坐在大玻璃的後面，看得見街上來的車去的車來的人去的人，大玻璃是一個鏡框，是一個銀幕，我們的眼睛把街上的景物移進了框裏，我們所見的便是電影。我們走進畫廊，看見一幅米羅的星圖掛在牆上，米羅的圖並不會移動，圖裏面的星星從不曾更換它的位置，米羅的畫就不是電影。我們站在碼頭，看見輪渡冒煙，看見海鷗飛翔，看見浪花起伏，這景象和我們在餐室的大玻璃後所見的同樣是物象物態，但這並不是電影。電影是活動的圖畫；必須是活動的，必須是圖畫，因此，印在書本上的圖畫不是電影，在街上到處可見的風景沒有被移進一個框限裏也不是電影；舞台上雖然活動，但不屬於圖畫的真物出現的場面也不是電影。電影是一層虛像。把一連串的圖連起來（像卡通的攝製），是電影；用攝影機對着一塊大石頭收取重疊的印象，是電影；生物課上放映的一個阿米巴「運動」的形態，是電影；記者在戰場上記錄回來的菲林卷，是電影；這些電影就彷彿一隻鳥在樹上唱歌，一隻貓打翻了水瓶把足印蓋在布上，我們就不可以把鳥的歌和瑪琍亞安德遜的歌相比，把貓的足印和瑪蒂斯的畫相比。

C 可能是藝術的 C，藝術的 C 就是藝術電影，是電影的加工，是從電影脫胎出來的，是經過電影的階段，從技巧中磨練出來的。藝術電影首先要解決的乃是如何在大玻璃的後面攝取最簡單的畫面，表現最豐富的內涵，攝取最「和諧」的角度，表現最獨見的景貌；在基層上就是導演術的 ABC，在本質上被稱為蒙太奇。藝術電影絕對需要從「鏡框擺設研究」上着手，一部藝術電影的成功與失敗也就以「銀幕建築學」的成功與失敗為標準。（一般人反對電影的「形式主義」，但電影必須是「形式主義」的，沒有顏色的畫是畫，沒有線條的東西就不成為畫了。如果把一幅空白的畫布鑲在框上，那仍然是畫，它的線條乃是那畫框所截取的空間的周界。）許多的書本替蒙太奇下過註解；其實拍攝一電影所要重視的應該是蒙太奇的實存，而不是蒙太奇的理論，每一個導演最明智的出發點乃是運用自己的銀幕建築學，愛森斯坦便完全用他自己的蒙太奇構圖，他以下棋一般的嚴謹來放置人物，用十五世紀畫家的調子來刻劃人物的線條，所以，他才成為「電影上的米開蘭基羅」（如果看《可怖的伊凡》，覺得他的人物塑型更貼切於波的采尼）。但愛森斯坦的銀幕建築還是以舞台為單位，只用眼睛來加強電影感，以配音來渲染鏡框感，他的風格是他的成功，也一半是他的失敗。（但在香港，我們卻極需要以愛森斯坦的步伐為步伐，在銀幕建築學上打基礎，就像學畫的人，還是打好素描的基礎再說。猴子當然會繪畫，但畢加索的素描之佳，才是他以後變調的階石。）

最後，C 可能是 C 作品，C 作品就是電影作品，電影作品是在銀幕建築學上打好了基礎之後，揮灑自如地創造的一個境界，一般的電影有攝影師（photographer）來處理，藝術電影有導演（director）來指導，而電影作品便由電影作者（film author / writer-director）自己用攝影機來寫作。到了電影作品的階層上，明星制度是不存在的，一個電影演員將會被和一塊石一株樹一般看待，但在電影作品中，電影演員絕不會淪落為電影明星。能夠成為電影作者的當然也是少數，英瑪褒曼是其一。電影作品是個人的，特別偏重嘗試的精神，也最容易透露怪氣邪氣，但這邪、這怪，要根源於我們的看法是審察，比較上的還是有直覺〔上〕喜歡〔的〕或不喜歡上的。前面我們提過 C 可能是 C，C 就是電影，記者在戰場記錄的菲林卷是電影，如果那個記者能夠充分地運用銀幕建築學，他帶回來的便不僅僅是電影，而是電影作品了。目前，我們可以在大會堂看見很多的佳作便是以銀幕建築為主，表現「純粹」的電影作品。

倫士（一九六四年四月三日，第六一一期。）

卡山的四顆星

一個人不像普普通通的人，不像一個正正常常的人，不像一個循循規蹈蹈矩的人，就自自然然地成為一個狂人了。

看《碼頭風雲》，覺得馬龍白蘭度甚狂。

看《蕩母痴兒》，覺得占士甸甚狂。

看《情場浪子》，覺得華倫比堤甚狂。

看《偷渡金山》，覺得史提斯尤萊士甚狂。

伊力卡山製造了他們。透過他們，我們看到「獸性」。狂人雖然是人，不過卻不走向人的社會，偏偏要走向野獸的社會，走向又可愛又不可愛的原始，走向又可恨又不可怕的自然。狂實在是一種「犬」的表現。一種「王」的表現。所以馬龍白蘭度要學一條狗那麼地有時也想表現一下自己的確給建築物、金屬音響煩死了而去發發狗瘋咬咬人，所以占士甸要學一頭狼那麼總是對我們的這個世界一切沒抱好感而整天瞪着敵對的眼色，所以華倫比堤要學一隻猴子企圖逃脫一個籠，免得整天在籬裏面打鞦韆，吃別人剩下來的以施捨姿態扔過來的花生米，所以史提斯尤萊士要學一隻獅子那麼要維持自己獅王的尊號而有時又要反省一下森林到底有多大。森林外面又有多少森林。

首先是伊力卡山。他看得很清楚，狂的都是青年人，他讓他們清清楚楚地狂。馬龍白蘭度是第一個擠壓得我們很難過的狂人，從《慾望號街車》起，我們忽然一下子掉進了一個現代來，現代得叫我們來不及應付〔。〕馬龍白蘭度給我們的壓力是如此沉重，就像風一般地旋了過來。

一件 T 恤，一駕電單車，一條牛仔袴，一頭凱撒時代的典型短髮，這麼的一個形象，不過，才只是一個開始。這只是一個誕生。一個狂人的誕生。

占士甸才真正地是這個風暴的中心，我們從史提斯尤萊士看到一丁點兒的占士甸的投影，完全是因為這倆人重疊於具有野獸的剎那的沉默，和那股來自火焰的眼睛。占士甸是狂人的延續，既誕生了，如何存在下去呢？占士甸的問題是比馬龍白蘭度的更見尖銳，從《阿飛正傳》我們投入的是一個如何活下去的問題。哪吒的「削骨還父，削肉還母」的精神在占士甸的身上重現得非常強烈，占士甸的車禍十足反映了他是這個時代的殉道者。

從誕生到存在，到迷失。華倫比堤所代表的便是迷失的類型。迷失實在是可以分為兩個型的，積極的搜索型和消極的隱沒型，華倫比堤是後者，所以，我們只能從這一環內聽到很微弱的呼叫，這聲音本來是沉痛而尖銳的，但是華倫比堤在衝力潛力上都比不上馬龍白蘭度和占士甸，他的聲音因此是被淹沒得一點不剩了。

史提斯尤萊士的降臨是沉着的、緩慢的，是迷失後的一種醒覺。占士甸的「哪吒精神」已經在隱退，反之，史提斯尤萊士的屹立，呈現出一種東方性。一種家庭的同盟。史提斯尤萊士的狂已經不是無理的叛逆，也不是加繆那種荒謬的行為，這時，一切的殺人，苦幹都是在搜索，說史提斯尤萊士已經醒覺，實在應該說他是迷失的一群中的搜索者。

馬龍白蘭度的狂是起始，史提斯尤萊士的狂是最長期的延續。但由於史提斯尤萊士是「靜止的中國花瓶」式的，我們便不能一下子看出他也具有爆發性的一如占士甸式的感人，撼人的力量。

馬龍白蘭度到了今日已經狂完了，占士甸一死，華倫比堤的消失，都在史提斯尤萊士身上總結，但從此以後，史提士尤萊士還能帶給我們甚麼呢？甚至伊力卡山，他還能給我們一些甚麼呢？

西西（一九六四年六月十二日，第六二一期。）

電影・迷藥

在電影院裏的時候，對自己說：「我要批評你這個電影。」這麼一說，你一定會有很大的收穫。最低限度，你已經有了一個心理準備，不會太過於「忘我」。

看電影是很開心的〔，〕因為，看只是欣賞，只是娛樂。

批評電影就不開心了，要把自己當作冰冰冷的石頭，還要夠心狠。不過，我們不能老是把電影當作娛樂，有時候，不妨把自己的水準提高，要求擴大，把看電影當作上課，當作研究學問。

一場很淒涼的場面，大夥兒全哭了，連你自己也哭了，作為娛樂，你不妨說這電影真動人，但作為研究，你不妨想想，能夠讓人哭的就是好電影了麼？有的人是天生愛哭的，電影好不好和一個人哭不哭簡直就是兩回事。

有的人喜歡笑，能夠讓他笑個夠的電影他一定會拍手，還會介紹別人去看，這並不是這個人不懂得看電影，而是因為他着了一陣子的迷，忘記了笑笑之後甚麼也沒有得着。

就是這樣，像我，我居然十分喜歡凌波，照理，看她的《七仙女》〔、〕《花木蘭》應該很迷，可是，看完了還不是一樣要硬硬心腸，磨折自己一番。喜歡是一件事，喜歡是偏見，而作為批評，就得找偏見最少的方向走。

就是希望大家不要着迷，電影商其實不過是在施迷藥，那一樣藥向你開準了，你就掉進陷阱裏去了。電影商有漂亮衣服的迷藥，美麗女孩子的迷藥，這已經是很高級的了。不管高級低級，它們總是迷藥呀！

西西（一九六四年八月十四日，第六三〇期。）

菲特娜・神話、菲特娜・戲劇、菲特娜・電影

有一個電影叫做《朱門蕩母》

Damn 這樣的一個譯名

和菲特娜有關的，有二個名字：

（1）Theseus，菲特娜是他的妻子。

（2）Hippolytus，菲特娜是他的後母。

神話是這樣：

菲特娜愛上希普里特斯

希普里特斯拒絕菲特娜

菲特娜遷怒希普里特斯

菲特娜促使提修斯妒忌

提修斯咒詛希普里特斯

咒詛應驗希普里特斯死

神話牽涉道德和倫理，希臘群眾重視法則和秩序，所以菲特娜是有罪的。

希臘三大悲劇家之三的優里彼底斯，他的公元前四二八年獲獎著作 *Hippolytus* 替有罪的菲特娜釋了囚，在《希普里特斯》一劇中，他把這一個悲劇歸納為神的一個把戲，手持這一批木偶的乃是愛神 Aphrodite 的傑作，還強調菲特娜雖然違反道德，但希普里特斯卻違反自然。但是，神話的時代是過去了，優里彼底斯所寫的菲特娜已經不是神話中的菲特娜婦人，而是雅典城中任何一個十字街頭的過客的縮影。在優里彼底斯的舞台上，神的出現是眾多的，但他已經否定希臘眾神的「神格」，他不過借神的稱號來暗示一種宇宙的力，或者就隱喻為「命運」，這是優里彼

底斯在舊瓶中注入第一種新酒。

菲特娜是一個婦人，並且是一個「無恥的婦人」，這樣的角色在希臘悲劇中的出現是全新的，甚至往後數也要數到莎士比亞的時期，才出現同樣的帶有 guilty passion 的角色：在《安東尼與克里奧柏特拉》中。優里彼底斯不但賦菲特娜的新面目在雅典劇戲中上演，並且重視心理分析來描述他的主角，所不同的就是優里彼底斯的心理分析學是在筆下的，弗洛伊特的乃是在診所中，這是第二種新酒。

優里彼底斯的光芒的重現，是在辛納加的手中，公元前四年誕生的 Seneca 是一個哲學家，是尼祿的老師，他用拉丁語寫下 *Phaedra* 一劇，並且把希臘悲劇的獨幕劇形式分編為五幕劇。但他的作品是缺乏「戲劇性」的，適合朗誦多於演出。在一九三七年至一九三八年間，美國百老匯更掀起一片「清誦」的狂熱，這便是純粹的辛納加式戲劇。舞台上的演員坐成一個半圓形，一如宗教儀式，每人按時站立誦讀一番，這也是現代戲劇諸貌之一。

十七世紀的法國女伶如果沒有機會一演《菲特娜》將引為奇恥大辱，她們演的菲特娜不是優里彼底斯的，也不是辛納加的，而是拉辛的。Racine 誕生於一六三九年，他成為一個「多望一眼也叫人心疼的」劇作家，因為他本來是一個詩人，而且又是一個非常女性化的詩人，他的詩劇都以女性為名，並且也是絕對女性化的。他喜愛優里彼底斯的作品，尤其是《希普里特斯》。不過，這是十七世紀，神這種東西已經不在舞台上出現了，神沒有了，希普里特斯違反愛神為中心的悲劇已經改變了，現在說的是人的故事，現在說的不是任何一個人的善惡因果，而是各個人分擔悲劇的種植。在拉辛的《菲特娜》中，菲特娜是自責的，她的感情是隱藏的，她是一繩導火線，因為提修斯被誤傳已死，做褓姆的有復仇的「好意」。作為提修斯，他的盲從，無知，不辨是非的結局正是他應得的酬報。作為希普里特斯，他也不再是希臘悲劇中純粹無辜的英雄，拉辛把他寫成背叛父親而和敵人相戀的少年，他之拒絕菲特娜，絕不是他藐視維納斯，也不是因為她是後母並且又尊敬父親，而是他愛上了仇敵。通過拉辛的電流，所有的人物都變成了「人」了。

祖士·戴森（希望有人知道他是誰），他給過世界一部電影 *Never On Sunday*，現在又製成了一部 *Phaedra*，編寫劇本時曾參照拉辛的劇本。現代化的「菲特娜」出現在銀幕上〔成為〕二十世紀六十年代的人物，悲劇的因素也是多元的，人們還是相信命運的。Jules Dassin，他找到了安東尼柏堅斯演希普里特斯（現在是阿力斯），找到美蓮娜梅可麗演菲特娜（現在一樣是叫做菲特娜），找到萊夫華倫演提修斯（現在是但諾斯），找到傑克那多攝影，找到自己導演。在銀幕上，以前的雅典君王現在是一名船廠的總裁，以前希普里特斯的戰車現在是漂亮的跑車，以前菲特娜向神的祈禱現在是把一枚大鑽戒投入泰晤士河中。希臘的悲劇是難以搬上銀幕上的，因為那些神的存在並不容易表現，只有菲特娜，通過辛納加，通過拉辛，才可以讓大家看得見（像詩人瘂弦寫下的）「一個希臘向我走來」。優里彼底斯的世界又重現了。

倫士（一九六四年八月二十八日，第六三二期。）

電影花氈之構成——釋費里尼的《八部半》

在《露滴牡丹開》的結尾，馬斯杜安尼擁在一群人裏面，他們鬧烘烘地看一個女人開始表演脫衣。夜很深，他們喝酒，他們目不轉睛，他們有男有女，他們奇形怪狀，他們就擠在屋子裏，讓音樂響，讓人聲沸騰。費里尼在這裏把情景描成整個世界的墮落。直到清晨，屋子裏的人紛紛離去。他們在沙灘上偶然散蕩一下，發現了一條怪魚。那是清晨，但，一條怪魚不給他們得到了丁丁點兒的刺激，看了一眼之後，他們又開始回到「地獄」中去了；一群一群地，留下馬斯杜安尼一個人站在沙灘上，看着小溪對面的海灘咖啡座的小女孩，她是那麼地清新、純潔，她向他微笑，向他招呼，但他搖搖頭，結果被一群人拉了回去。電影就在女孩子看着他逐漸被拉回去而結束。馬斯杜安尼很想尋回他童年的無邪和清新，甚至他非常願意，但他是不可能尋回了。

費里尼在《露滴牡丹開》中讓我們哀愁地橫過小溪看到樂園的樣子，樂園是存着的，在某一個地方，很近，但又彷彿很遠；在時間上，樂園時常會回來，但在空間上，距離又很遠。

《露滴牡丹開》是費里尼的第七部電影作品，在拍完了這部電影之後，費里尼說他的下一部電影所要傳達的乃是那個站在沙灘上的女孩所帶來的世界和訊息。但費里尼並沒有讓這個思想孕成，他替《薄伽丘七十年代》拍了一個片斷（那是三個片斷合成的一部電影，由三個導演分別製作合成）。然後又拍了另一小片斷。兩個片斷合起來約等於半部電影，於是費里尼一共完成了七部半電影。這時，他的思想回到沙灘上的女孩子的形象上來了，這，就是他的第「八部半」的電影。就是借馬斯杜安尼這位導演來透露他如何心中有感但不能傾出來吐出來的困苦。

電影中的導演正是一個計劃中有很多建議，但結果沒有製出那部電影來的馬斯杜安尼，他心目中有很多的電影思想，但沒法把它結晶成為一個電影劇本，因為在一開始的時候他沒想到他原來是在為自己的生活的難題而解結，除非他能夠把自己的生活難題解決了，他才能使電影成形。

導演基杜一開始的時候便處於夢中，他被關在一輛車中，被困於鬧市的擠塞的車輛群裏，然而，四周的人瞪着他，看他如何窒息至死。這就是象徵他的困境，所以在後來他在幻境中看見自己在記者的包圍下自殺。但不久，夢後我們便隨基杜回到現實生活中來了，導演群的人環繞他，詢問一切拍片和計劃。在現實的生活中，他所需要的所愛的乃是他的冷淡的妻。她永遠不能諒解基杜而由得他去和情婦廝混。在這方面，我們可以看得出費里尼對女性的造型。妻子的總是那種瘦削修長的女子，她在一場幻覺中變成了維采亞筆下的畫中典型的女人形態。至於情婦，總是肥肥矮矮，沒甚麼〔腦〕袋似的，喜歡嘻嘻哈哈。她們很真實，很活，不像那些妻子型，有若生活於另一個世界。費里尼電影中的第三種女性又出現了，在《八部半》中的便是 CC。她便是那個沙灘女孩的化身。她一直活在基杜的夢境中，純潔而又無邪，是一個來自遙遠的失去了的、不可抵達的樂園中的傳訊者。她所帶來的訊息和《露滴牡丹開》中的訊息是同類的，她們都在說：把性帶進世界，但別把羞恥帶進世界。

《八部半》中有兩個片斷是陳述費里尼童年時代的生活的（因此，《八部半》實在是費里尼的一個自傳式電影）。第一個片斷是說製酒時的農村風貌，充滿了溫暖的母愛和婦人的率直的感情。這時，基杜對婦女之看法像孩子對母親，這一段是自「阿沙・瑪西・尼沙」那個謎底所揭開的。第二片斷是當基杜進見主教時看見一個婦人下山時憶起的。童年時的基杜曾從教會學校逃出來，跑到山上看一個瘋妓女跳舞。這對於基杜來說就像童年時浴後被婦女用大毛巾包好走上樓梯時一般，是有性，但並無羞恥的。但是，傳教士卻厲色對基杜說瘋妓是魔鬼。自此之後，基杜長大了對於性便充滿了幻想。他坐在露天的茶座中，妻子和小姨在一旁嚕囌，而情婦又跑來了，坐在那一邊，然後他自己不斷地說謊，說不認識她，因為情婦是羞恥的，然後他幻想妻子和情婦成了好友。後來，基杜又幻想自己是一個回教的屋主，回到自己童年的農居，有各式各樣的女子，適合他情緒的需要，大家快活地在一起，直到他厭倦了就趕她走。在所有的女子中，只有一個 CC 是例外的。但結果，在現實中，真有一個活生生的 CC 出現了，將在他的電影中作主角時，基杜和她一起在偏僻的沒有出路的陋巷聊天，這時他才痛楚地下了一個結論：他不能接納由她主演。因為他不能忍受面對這一項事實，因為一當她進入，她就不能回復到純潔無邪的境界去了。

當然，《八部半》講的不只是「性」這一個問題。還講一個知識分子如何找尋「真」的問題。向自己求真，向世界求真，使他足以藉此活下去，在這方面，基杜嘗試以宗教、以愛入手，但都沒有結論。基杜在幻想中曾在浴室中謁見主教，在真實的環境中，主教只在解說鳥語；夢中的主教卻老在喃喃地說着神諭：「沒有一事可以和教會同作。」至於基杜的男性朋友中，米山保達也是個自己有一大堆問題的人物，根本沒有能力相助，基杜的父母則早已死去，他的父親，電影上寫得很明白，是死了的，在一場夢境中他曾向基杜申訴說那座墳墓建得不行，他後來縮下地層去了。基杜的母親，雖然並沒說已死，但他一直以幽魂的姿態出現，不時在那裏冷眼旁觀，抨擊基杜。因此，在基杜的心目中，他的妻子和母親是同一類的，站在同一陣線上，所以在父親的墓前，他的母親一度轉變為他的妻子。

不過，要逃避家屬是不可能的，這，在一場傳心術魔術表演中已由一名老婦人預言一番，但仍不能使他感到滿意。甚至一個人根本無法逃避世界，雖然，基杜終於決定把搭好了的太空火箭棚架拆下來，不再拍這部電影了。事實上，在這個世界上，人們無處可逃，只能接受。基杜在接近終場時還得面對一項事實：即使自殺也不是方法，他必須活下去，和矛盾生活在一起。不再去尋求困擾他的「真」，而是接受面臨的生活。他的答覆即是自來藝術家的答案：生活中不滿意的，試圖在藝術中把它完成。在基杜的生活中，他可能無法與世界融洽，但在他電影的世界中，他已經是一個小小的神。他可以命令事物照他的方式行事，在那裏，生命有如一個馬戲班，他就是班主。因此在《八部半》的最後一場中，基杜已長成了，他已作了馬戲班的主人，電影中的真真幻幻，已生的已死的，最崇高的和最卑微的都愉快地聯在一起，一同鞠躬一同舞蹈。最後，他們一同離去，留下青年的基杜，最終離場。

《八部半》並不是一部難懂的作品，比較叫人不習慣的是費里尼的自由自在的剪輯，他把夢境、現實、幻想、回憶交織在一起，最主要的是因為這些縫合處叫我們不易辨認，而且，如果沒看過費里尼以前的作品的話，就頗難習慣他的風格和「來去路」。但我們能說這不是一個風格嶄新，內容豐富，思想廣博深沉的作品嗎？他的作品從現實主義入手，結果就帶上超現實主義之面貌。其中尤其是開始的那場泉邊風景，白色的風景點綴着幽靈似的人，既真又幻，攝影之美，意象之超脫，都是詩般的。費里尼的才華是豐匯的，他是一個多采的幻想家，他的「電影花氈」不過是一連串的時間、事件和地點，以他的方式來織成而已。

倫士（一九六五年四月十六日，第六六五期。）

電影文法：A

假設，我們現在正在一起看電影。

我們的眼睛看到銀幕的畫面，我們的耳朵聽到擴音器播出來的聲音。電影不是甚麼古怪的東西，電影就是畫面和聲音組成的。記住了，**畫面，聲音**合起來是電影。

我們聽見的聲音並不是一模一樣的，仔細聽一下吧，仔細數一下吧，啊，一共是三類哩。那就是：對白、自然音響和音樂。凡是有人說話就是對白。凡是下大雨啦，槍砲聲啦，打碎花瓶聲，貓叫狗叫啦，都是自然音響。凡是演奏啦，唱歌啦，恐怖片裏嚇壞人的交響樂啦，都是音樂。記住，記住，電影的聲音的構成傢伙是：**對白，自然音響，音樂**。

《東京世運會》這個電影裏面許多人是一句話也不說的，但是我們聽見有人在幕後說話。這嘛，是對白中的旁白，常常是用來評論或者介紹畫面的。那些《夜生活》甚麼的電影中最多最多。評論式的說白是運用對白的方法之一。《飛渡關山奪寶戰》是部熱鬧得緊的電影。你說，傻瓜般的貝蒙多的英語說得行不行？唉，老實告訴你吧，貝蒙多那法國人，他是半句英語也不會說的，在電影上他雖然張開嘴巴，聲音卻是另外錄在錄音帶上的。像這樣子，是運用對白的另一種方法，是選用式。電影就常常利用這方法騙人。大家當然知道，柯德莉夏萍很可愛，但她的歌聲並不怎麼可愛，所以，《窈窕淑女》中唱的是她，聲音卻不是她的。蘇菲亞羅蘭的聲音是很意大利的，她說起話來老是一連串一連串，導演的絕不會放過，於是就把她本人的聲音和表演的動作一起配合了錄下來，這也是最普遍的運用對白的方法之一，是真實的運用。有一種電影像《碧血長天》，對白上有英語有法語有德語，只懂一種言語的是不知道另外兩種語言的意義在表達甚麼的，但是，依照電影文法，這是運用對白方法中的純粹利用聲音式，對白上用法語並不是叫大家聽懂，而是要大家知道講話的是法國人。《喋血街頭》中的中國人講廣東話就是另一個例子。好了，現在大家記住，對白的運用是有四種：**真實配用**，**選配用**，**評介用**，**純音用**。

音響，即自然物音的運用也有兩種，如果一輛汽車行駛聲，那就是**真實配用法**。在一部叫《龍鳳嬉春》的電影中一開頭時，一群女人擁進一間百貨店買東西，這時，背景音樂配的卻是牛群衝入柵欄的聲音，這樣的用法是**選配用法**。當然，導演的有很好的腦袋的話，就會想出很有趣的音響來配合畫面的。

音樂方面，現在的電影常常特別請了作曲家譜好主題曲。此外，導演也有方法自己用各種方法配音。《勝利者》的槍決犯人本來是很悲慘的，但導演配的竟是輕快的聖誕歌，這是**諷刺式**的，帶有評論意味。如果畫面下大雨，幕後可以不用物音而用音樂替代表現，這就是**模仿式**。

關於電影中的聲音，這是最基本的知識。（未完）

倫士（一九六五年八月二十七日，第六八四期。）

電影文法：B

假設：我們仍在看電影。

我們看見畫面，我們聽到聲音；電影不是甚麼古怪的東西，電影就是**畫面**加上了**聲音**。

畫面是甚麼呢？我們仔細地瞧一陣子好了，啊，原來我們看見畫面有三種樣子。第一種樣子就是一幅圖畫一般的，畫框裏邊有人有景物，人嘛跑跑跳跳，景物嘛一動不動，這些是畫面的內容。第二種樣子就是畫面忽然會一下子變成另一個畫面，我們看畫時，只看見一幅畫，但看電影時，卻是成千成萬的畫，這麼多的畫連在一起，就是畫面的剪接。第三種樣子是畫面上常常除了有人有景物，或者由一個畫面變為另一個畫面外，還會有字出現，這就是畫面的文字，好吧，現在我們又要記住了，畫面其實也不是甚麼古怪的東西，不過是一些內容，一些文字，和不同的剪接砌起來的，記住，記住，**內容，文字，剪接**。

從現在起，我們來一個話分三頭。

大家當然看過《夢斷城西》，不過，我不知道你記不記得最後那一列寫在牆上的字，和利用交通指揮牌的標誌，這些字就是畫面上的文字了，這種叫片頭字幕。片頭字幕多半是在電影一開場就出現的，是把導演、製片公司和演員給大家說一聲。古老十八代的默片是沒有對白的，所以銀幕上常常出現一些字；像《風流劍客走天涯》一開始時嬰兒誕生那一段，這些字幕是解釋用的。我們又會碰上一些日本片，大家聽也聽不懂，但在銀幕畫面底邊就出現一列翻譯外語的說明（就是片上中文字幕），這是說明字幕。

現在，我們知道畫面上的文字的出現通常是三種：**片頭字幕**、**解釋字幕**、**翻譯字幕**。其中，片頭設計的字幕在目前的電影中是很富藝術性的，美術人材在這方面花過極多的心血。《八十日環遊世界》和《瘋狂世界》的片頭設計便是個好例子。

畫面是一幅幅的，怎樣連在一起呢？我們絕不是用詹天佑鉤把畫面鉤在一起的，最簡單的剪接是跳接，一部電影中有百分之九十是跳接，就是一個畫面接連到另一個畫面。兩個人談話時，我們會看到一忽兒是阿倫狄龍的臉，一忽兒又是瑪麗拉富莉的臉，就是跳接的功勞。不過跳接不算是電影剪接的主要本領，就如走路不算是人的本領。電影畫面的剪接着重的還有**淡**、**溶**和**劃**三種。每一部電影一開始總是畫面由暗漸漸亮起來，就是淡入；終場時又漸漸由亮轉暗，就是淡出。淡在電影上是不常用的，等於一本書中的一章，非到一大段意思表現完了不能胡亂出現一下，在舞台上，淡就是等如一幕或一場。一般上說，每小時用淡不可超過十次。溶和淡是兄弟，淡的時間比較短，溶的時間比較長，溶最易被人認識是因為凡是遇到溶的鏡頭時，畫面的景物呈現交疊狀態，前一場的鏡頭還沒消失，後一場的鏡頭已經出現了。在電影上，溶是常常被錯用的，有的導演以為一連用了廿次跳接，不如用一下溶來調劑一下吧，這是不對的，作為一個導演，如果不是必要時，應該用一千次跳接，也不可以用一次溶接。溶接的優點是追隨物體，把握時間。我們可以先拍一株小樹，溶接一株中樹，再溶接一株大樹來表示時間過去（不必像默片那樣來一個字幕「五年後」）。溶接是減緩剪接的調子的，適合用於抒情場合，如果在《玉女風流》中用溶，就不太聰明了，《玉女風流》是以快速節奏佔優的。在電影中用劃也是不智的，劃的缺點是像撕日曆，不夠真實。凡是銀幕上的畫面被無論任何一種線條掃過而揭示下一個鏡頭的，都是劃。如果導演夠聰明，劃是可以用得令人拍案叫絕的，《風流劍客走天涯》中湯鍾士拿一頂大黑帽把銀幕一蓋蓋住，就是劃的方法，像這樣的劃，能夠產生必定性效果，是用對了。但如果非必要時，劃仍是不應該隨便用的好。用在片頭設計反而極為適合。

話分三頭，現在還剩下一頭。(未完)

倫士（一九六五年九月三日，第六八五期。）

電影文法：C

電影是畫面和聲音構成的。

電影的畫面是**內容**、**剪接**和**文字**構成的。

我們看電影的時候，並不會注意一列列的字。在一大串的片頭字幕中，我們最多記記導演和幾個較重要的演員的名字，其他的名字我們是不理的，我們往往被圖畫吸引了視線。除了字外，我們在看電影時，通常也不會注意剪接，我們所注意的，只是畫面的內容。

畫面的內容是甚麼呢？我們有五官，看電影時，最忙的便是視覺。有時，我們在看電影時便會突然發現我們視覺的眼睛原來有不少才能，並且會發現我們的眼睛原來竟是攝影機的鏡頭。這個「眼睛」有時動，有時靜，比我們自己的眼睛多了許多本領。《誘惑》中攝影機不是由牛奶廣告女郎的足趾起打橫向左拍攝直到支撐着的手為止嗎？這是橫的搖攝。《警察與小偷》中小偷不是偷過樓下的香腸嗎？攝影機就對着樓下被鉤的香腸一路拍攝它被拉上二樓，這是向上的拍攝。《霸海奪金鐘》中攝影機不是對準一幅拜占庭的鑲嵌壁畫拍嗎？起初畫是很小的，但後來，壁畫好像自動走到大家面前來了，而且放大了，這是推攝。

現在大家一定知道了，攝影機有時愛動，動起來有三種樣子，向左動向右動的是橫向**搖攝**，向上動向下動的是**上下攝**，向前動向後動是**推拉攝**。攝影機會動，當然是因為它還可以放在起落機上或是車輛上的緣故。有時候，攝影機不愛動，它就靜靜的坐着。靜的「眼睛」看東西時就要講**距離**、**角度**和**位置**了。「眼睛」怎樣看東西呢？這個人自高自大，那麼從下向上攝吧，讓他更驕傲些，這就是低角仰攝。那個人自卑，那麼從上向下攝，讓他更渺小些，這就是高角俯攝。普普通通的人不太驕傲不太自卑的，就用平常的角度攝，這些都是角度。「眼睛」看東西，有的近，有的遠，就要講距離了，最遠的是大遠景，最近的是大特寫，中間的是遠景，中遠景，中景，中近景，近景，特寫，「眼睛」喜歡怎麼看就怎麼看。有的導演在一部作品中以距離就可以形成一種風格，像《誘惑》的第二節，維斯岡蒂就愛用中遠景來構成一片深邃的印象。「眼睛」是可以任意放置的，也可以用許多的攝影機放在不同的位置拍攝一場戲，這樣，到了剪接時就有更多的片斷可以選擇，像《天國與地獄》中火車奔馳的一場，如果不是利用許多的攝影機分別安放在不同的位置上拍攝，效果一定會大大不同。「眼睛」還可以決定銀幕的框子的大小，是方方的呢，還是長長的。方的有全景大銀幕，長的有新藝綜合體。「眼睛」還可以決定彩色或是黑白，平面還是立體。

攝影機有時動有時靜，它們看東西可以很正常，可以和我們的眼睛看出去的世界一樣，時間和空間都沒有改變，那是**自然化**。但電影畢竟不是我們的眼睛。電影除了反映「自然」的自然化之外，還可以來一下「自然的加工」（一般人就叫它做藝術），成為**電影化**。怎樣電影化呢？把時間電影化起來吧。一朵花的開放，凋謝，春去秋來，在電影中一分鐘就可以利用幾個鏡頭完成。這是快。一群人賽跑，跑得很快，但我們用快鏡頭拍攝，放映時就可以把動作轉慢，慢得像潛水。這是慢。一個人從跳板上跳下水，但我們有本領把他的動作倒流，讓他從水中反彈回跳板上。這是反動作。快動作，慢動作，反動作都是電影化的本領之一。《誘惑》中一瓶大牛奶面對一個小人，這是兩幅畫面疊印在一起的緣故。一座大廈，一座神像突然倒塌，一個人的臉忽然裂碎，這也是電影「電影化」的本領，叫變形。《夢斷城西》中東尼見到瑪利亞時，瑪利亞很清晰，其他的人很模糊，就是焦點不同弄出來的把戲。（當然，也可以利用磨砂玻璃蓋住一部分攝影鏡頭。）

現在記住。電影除了「自然化」，還得「電影化」。電影化的本領是：**動作**、**疊印**、**變形**、**焦點**。

倫士（一九六五年九月十日，第六八六期。）

蘇菲亞羅蘭
七彩巨片
Boccaccio '70
三個女人，三部艷史！
銷魂蝕骨，各極其妙！
桃李濃艷……美人兒各展解數！
粉氣脂香……鐵心腸化撥指柔！
密切注意
映期地點

Winner of 10 Academy Awards!
利舞台 樂宮
今晚
九時十五分隆重優先獻映！
預售三天座票！
西城斷夢
最佳電影
榮獲十項金像獎！
特藝七彩・透視體大銀幕・片上中文字幕
WEST SIDE STORY
宇宙間最偉大的愛情！

星之沒落

水。許多的水。流過泰晤士河的橋下。人。許多的人。浮過泰晤士河的橋上。看橋下的流水。看橋上的行人。看我們的闖過了窄門的喬治查格里斯。嗯。回家來了。像浪子回家一般。不過是一九五九年。那年的流水也歌唱過泰晤士河的橋下。那年的喬治。他在舞台上演《西城故事》。不過是一九六三年。他又回來了。帶着也可愛也不可愛的奧斯卡。帶着也開心也不開心的明天。他走過橋。為了《六三三機隊》走過橋。為《烈日當空》走過橋。看看老是一副舊臉孔的新流水。窄門真窄。他挨過乾麵包。喝過白開水。但那些日子多麼有趣。窮的日子頂有趣。穿破衣服的日子就覺得自己像鳥。鳥的翅膀是自己的。喜歡飛就飛。闖過了窄門之後。日子奇怪起來。打那麼漂亮的領帶。把自己的臉貼在這麼多封面上。甚至得了說起來很少但已經很多的五萬美元的薪酬。窮的日子頂有趣。但現在不可以穿破衣服。現在的鳥已經沒有翅膀。橋下的流水會說的。喬治查格里斯不再有翅膀。他甚至不再有朋友。他回到一個如此寂寞的城市。一切的笑對他都不是真摯的。他只是一座新落成的大廈。一輛嶄新的跑車。人們圍攏來。吱吱喳喳地鬧了一個午後。然後人們離開。然後人們去吱喳另一座大廈。甚至孤獨也不是喬治自己的。多麼淒涼的時刻。倫敦還不是他的。但他這樣子回希臘去。怎樣朝見自己的奧林匹克的諸神呢。他像水一般。離開泰晤士河的橋堡。流吧。到意大利去。為了《貝保的女孩》流過去。

遇見 CC。但這依然是不能飛的日子。窄門淹沒了。他從沒有看見自己。西城的事後。他已死亡。

西西（一九六五年九月二十四日，第六八八期。）

Alain Delon 集

AD 這個人

阿倫狄龍是不漂亮的，誰知道你對漂亮的看法怎麼樣，總之，阿倫狄龍是不漂亮的，但他很可愛。你得知道，阿倫的額上老是橫着三條紋，這不是漂亮，是可愛。阿倫不開心的時候眉頭老是一皺皺在一起，這不是漂亮，是可愛。阿倫平時就愛戴一隻雙圈的指環在尾指上，掛一條頸鍊在胸前，這不是漂亮，是可愛。然後，那當然是阿倫狄龍的眼睛了，這個人的眼睛真兇，眉毛真粗，加上披在額前的亂髮，啊呀，嚇怕人，這樣子並不漂亮，但真可愛。阿倫演窮小子很好，他穿破爛的衣服一直很瀟灑，他絕不像孟甘穆利奇里夫那樣一天到晚唉聲歎氣，老是對你瞪大了眼睛，好像充滿了全世界的詩意的樣子。阿倫狄龍才活呢，說跑就跑，說跳就跳，要愛就愛，不愛就不愛。他才不會冤鬼似地盯在你後面，如果他高興，他會對你笑笑，如果你惹他生氣，那可不客氣了，他乾脆賞你一個巴掌就跑掉。這樣子的個性其實很可愛，爽爽直直的，很坦率。世界上本來最可愛的就是那些壞人，壞人一早就讓你知道「我是壞人」，像這沒甚麼狀要作的人，有甚麼不好。

AD 真可憐

阿倫狄龍本來不怎麼可愛，是三個人使他可愛起來的。他們是克里曼、安東尼奧尼和維斯康堤。最初是克里曼，他讓阿倫演《怒海沉屍》。啊，藍眼睛的狄龍，長頭髮的狄龍，穿布鞋夾着畫冊的狄龍，他開始活潑起來了。他開始頑皮起來了。開始邪開始兇起來了。你知道阿倫從不漂亮的，但克里曼使他很有男孩子氣，使他笑起來一忽兒很甜，狠起來一忽兒很陰，是克里曼使他站起來的，一個人自己靠自己，從不要誰去可憐，從不接受甚麼施捨。就是那副很硬朗很灑脫的氣質叫人喜歡。《怒海沉屍》使阿倫狄龍很開心，但我們也開心，除了狄龍，瑪莉拉富麗也叫我們開心。

狄龍最可愛的電影是《羅可兄弟》，是維斯岡堤使他可愛起來的。維斯岡堤還在《氣蓋山河》中讓 AD 和 CC 一起可愛過，這時候，狄龍已經演過《蝕》，那是安東尼奧尼使他可愛起來的。在這裏，我們看不到《羅可兄弟》，看不到《蝕》，阿倫狄龍的最最可愛的面貌我們從沒有認知過，《黑俠恩仇》嗎，《黃色香車》嗎，《喋血街頭》嗎，《械劫銷金窩》嗎，拿這些來批評阿倫狄龍，那麼狄龍真可憐。

AD 這頭狼

當狼受了傷，便千里迢迢地回到自己的洞穴去，狼會一面淌血，一面歸去，直到最最後，死在自己的洞穴裏。這就是狼之死。當狄龍還沒有上荷里活，還沒有穿牛仔褲，還沒有戴城西的銀鐲，他演了《狼之死》(《喋血凌霄閣》)。狄龍演那狼，狄龍負了傷，千里迢迢地回到自己的家去，一面淌血，一面歸去，頂淒涼的。於是狼來了，我們等了很久，等《羅可兄弟》等《蝕》，終於「狼」來了。

《狼之死》是狄龍自己製片的，他很有自己的理想。他組織了狄布製片公司，他說了很多的話。

△我組織狄布製片公司，是要拍好的電影，不管新的導演舊的導演年青的導演年老的導演，我要好電影。

△我要做個演員，不做漂亮小子，花花公子。成功在我看來並不是最重要的事，我比較注意批評家認為我夠不夠得上是個演員。

△在電影工作中，我最感興趣的是準備演出，尤其是當導演叫動作的時候。但進入電影圈有許多事令我討厭，像甚麼雞尾酒會之類。

△我的個性很糟，脾氣很壞，時常傷害別人，尤其是那些最最愛我的。我從小就懂得沒有人會容忍我。

西西（一九六五年十一月十九日，第六九六期。）

喋血凌霄閣

原題 La Mort du Loup（狼之死）導演 Alain Cavalier〔劇本〕Jean Cau 主演 Alain Delon 法國出品

這個電影很「呆」。

故事講得太忠心，吃一下香蕉喝一下啤酒竟又淡入淡出了，要說的不外是湯瑪士上了船；跑一陣山腰拖一下死屍竟又淡入淡出了，不外是講湯瑪士打過仗。分場分得太詳細，把故事的重心扯散了，氣氛聚也聚不成形，就呆了。

音樂用得太公式化，劫持女律師時，一陣鼓聲蠻有勁地盡了導引劇情的責任，後來就給拋棄不用了，隨便拉些聲音配配，作為背景音樂出現，起不了甚麼作用。

引起懸念的大特寫出現得很弱，戴手套脫手套，敲杯子碎杯子都沒甚麼意思，律師的一條手鐲交來交去才是合理的，鎖匙孔的特寫才是必需的。

場與場之間的轉換殊不靈活流暢，一段一段之間的銜接處毫無因果因素，反而在畫面與畫面間，映像比較多一些面目，但搖鏡頭也顯然過多，畫面構圖的新鮮奇詭都是不夠豐富的。

演員的型比較好。阿倫狄龍則可像在開個人大特寫展覽會。編劇的還替他弄來了一大堆使他很神氣的對白。如果不去理那個故事那些映畫藝術，想見見阿倫狄龍的一定很開心。

這個電影只是很「呆」，但走的路很對，味道沒表達出來只是技巧上的病。比起來，我還是更看不起「鐵金剛」。

西西（一九六五年十二月十日，第六九九期。）

利舞臺樂宮
明天隆重獻映！
喋血凌霄閣
片上中文字幕！
HAVE I THE RIGHT TO KILL?
阿倫狄龍

飛行大競賽

和看煙花的感覺沒有兩樣。而我，我怎麼能向一枚煙花要求甚麼意義呢？煙花總是漂亮漂亮一下，姿態姿態一下就完蛋了。起初的小銀幕，一連串的跳接，是花招，然後堂堂皇皇地拉開了個七十 mm 大銀幕，但是，看來看去還是沒有宏大的感覺，競賽最後抵達終點的一剎那，實在使人想起不外是澳門大賽車。當然，這部電影是篇流水文章，一段一場排隊般地給你看，它所以會變得那麼有橫切面，大概是因為導演簡・阿納金這個人把自己當作一名採訪記者，所以整部電影像足了一卷花絮式紀錄膠片。而這，正是「有歷史性」的顯證。諷刺的一方面透露得很好，國際間的民族性和新仇舊恨都給畫出來了，想想這些日子的上月球大競賽甚麼的，不禁叫人呵呵大笑起來。沒有甚麼特別的畫面可以刻骨銘心，沒有甚麼出色的溶接，也沒有甚麼叫你「啊」一下的畫面構圖，但那古典的風景很自然，水彩畫一般的英倫風景，縛手縛腳的衣服，很像賣汽水用的雪櫃式的老爺車自有一種風采。彩色的配合也頗合那種年代，不是野獸派的。莎拉美露絲不行，她像一個五〔尺〕高姑娘卻駕了一輛大勞斯萊斯般不相配。史超域韋曼較佳，但這部片是霍士的，他當然是英雄。黃皮膚的石原裕次郎，他還是回去替自己的石原公司演戲好。

西西（一九六五年十二月二十四日，第七〇一期。）

These Magnificent Men in their Flying Machines
闔府統請
老少咸宜
十大天王
海運
百樂
明天五場
飛行大競賽

我的八大

1《誘惑》 2《沙漠梟雄》 3《太太的苦悶》
4《大刺客》 5《窈窕淑女》 6《昨日今日明日》
7《瘋狂世界》 8《十命冤魂》

最佳外國導演：積克紀利頓。
最壞外國片：《萬種風流一俏傭》〔。〕

沒有看過《軍令如山》、《亂世英傑》和《風流薄倖人》，很是遺憾，薛尼盧密、岳圖柏林明加和查波爾都是值得留意的導演，但我現在對那三部電影無話可說。所以只選八部。

《瀟湘雲夢》的色彩和情調加上依莉莎白泰萊和伊娃瑪莉聖的演技是不容忽視的，《特務驚魂》的好多個鏡頭都可以使我們想起許多歐洲的優秀電影作品。《十命冤魂》的畫面構圖之豐富很值得欣賞。

《誘惑》編導演三方面均佳，《沙漠梟雄》以氣勢勝，《瘋狂世界》表現史丹利克藍馬膽色過人，《太太的苦悶》和《大刺客》均走大道，如果不是因為太過雕琢，已是大器了。《窈窕淑女》僅以音樂劇之形式佔一點兒優勢。

西西（一九六五年十二月三十一日，第七〇二期。）

利舞臺 樂宮
今天四場隆重獻映！
安賓歌羅馥
彼得芬治
占士美臣
太太的苦悶
榮獲康城電影節最佳女主角獎
How many others? Six...a dozen... what does the number matter?
The Pumpkin Eater

樂聲·新聲·國華
下期獻映
轟動世界 哄動一時 巴黎採花盜賊 藍鬍子情殺案
眞實事跡 搬上銀幕 最大膽暴露！
舞台紅星 查爾士丹拿 領銜主演
歐洲六大美人 聯合演出
風流尊倖人
BLUEBEARD
全部七彩
採花妙手，既漁財，又貪色！

通天大盜

我們是去敬仰那些名字，不是去敬仰這樣的電影。名字祖路達森，名字瑪蓮娜梅高麗，名字奧斯汀諾夫，名字羅拔摩利。我們不要提名字麥斯美倫雪兒，我們看不見他，他黑麻麻的、沒有一點亮光。

也不應該太喜歡祖路達森，他喜歡把一枚象牙雕得很精細，結果，我們都不記得那本來是一枚象牙。祖路達森彷彿當了旅遊協會會長，要不然，他塞給我們看那多麼伊斯坦堡的風景幹嗎。汽車一路一路地衝，滿街都是背大籃子的姿態，這群人要偷的實在並不是大籃子。

橫切面的電影文法很通順，拍了一大段的遊樂場，把它切碎連起了，拍了一大段纏纏綿綿的，把它切碎連起了，特別是接上了彼得奧斯汀諾夫入屋碰見大鏡子，祖路達森仍有腦袋。不講甚麼仁義道德大理論也是對的，我們看的是一群賊的自白，他們不過把我們當作小蒼蠅小蜜蜂似地帶了我們無孔不入去熱鬧，並不曾把我們當作法官和教育官。

彩色實在悅目。瑪蓮娜的每一件服裝都美得叫人來不及接受，但我們真正從瑪蓮娜得到的仍是那麼少。我們實在是從祖路達森那裏得到得太少。一個人是很難超越他自己的，祖路達森暫時還超不過他的《永不在星期天》和《菲特拉》。

攝影是首選，把握彩色畫面十分清晰，拍攝光閃閃的東西，拍攝鏡面，玻璃面都是要有功力的。在盜寶時不斷利用大特寫，並沒有浪費，重複而不露破綻，多而不繁，雜而不亂，是這一場的可取處。

演員表設計很聰明，自從在監獄團團轉就已經是設計的部分了，明知那是一條尾巴，但一條漂亮得像松鼠的尾巴，我們還是接受的。

倫士（一九六六年二月四日，第七〇七期。）

悅目・悅心

電影單令你感到悅目是不夠的。對悅目的電影我們只適合欽佩一下那份嘗試精神以及敢於創新的勇氣。真正出類拔萃的電影，應該是悅目外尚能做到「悅心」的作品。而這，我選了：

《古城春夢》、《血印》、《英雄榜》

能兼悅目悅心自然不易，退而求次，尚算叫你在悅目時亦能悅心的，自然要數：

《蝴蝶春夢》、《烈士忠魂》

但以威廉韋勒和佛烈辛納曼的功力而言，只能做到次一等的悅心悅目，一方面使我們不得不感歎他們的確是趨向沒落，而同時，我們的確也高興見到薛尼魯密，薛尼富利之輩的繼起。一部電影若不能同時做到悅心悅目，則純粹以悅目為目的也自有一定的價值，像：

《色情男女》、《虎俠》、《瑪莉亞萬歲》、《活色生香》、《女金剛勇破鑽石黨》

當然，我所以選出這十部電影還有另外的一串標準，即：作偉大狀者不選，作 sentimental 狀者不選；沒有看過的無從選。

本年最壞的外國片，當然是指應該可以很好而結果不好而言。以《萬世流芳》這麼的一個陣容搞得這麼差，十分可惜，麥士馮西杜是最最淒涼的了。

最佳外國導演在新血林立的情況下，老一輩是給比下去了，但約瑟路西，路易馬盧，李斯特，薛尼富利諸君子平平的作品仍嫌不夠穩重，因此，數起來，暫時又讓薛尼魯密領先吧。

西西（一九六七年一月十三日，第七五六期。）

畫面的深度[1]

不一定要拍三 D 才可以使電影立體化起來。普通的電影也可以使我們感到畫面的深度的。

在拍外景時，我們可以利用四個方法。要注意的就是「前」和「後」。

圖一的方法是透視學上的。前景是直立高大的電線桿和排列有序的木柵，它們消失在遠景中的同一點上。郊外的樹木、燈柱都可以用來使電影畫面立體化的。

圖二是利用彩色。前景的顏色較濃，越遠越淡。鮮明的公路越來越窄也是增加深度的有效景物。彩色片在這方面比黑白片佔優。

圖三是利用清晰和朦朧的對比。前景是清晰的白雪和植物的枝條，遠景是朦朧的樹和岸。黑的河水和白的雪堆對照之下，遠近的感覺更其強烈了。

圖四是利用明暗的對比，主要的景物較次要的景物深沉，陪襯的景物色調較淡。同樣的，遠景的色調淡，景物朦朧，前景的色調濃，景物清晰。

西西（一九六七年八月二十五日，第七八八期。）

1　因解像度及比例問題，未能提供此文配圖，有興趣的讀者可至香港文學資料庫按題目查索、參閱。

變形的畫面[1]

電影裏邊常常要用到故意變形的畫面，或者是為了說一個人喝醉了酒，從醉眼看出來的東西都是異於尋常的，或者是主觀地描寫病者、精神不健全的人的幻覺。

圖一是很清晰的一個畫面，一個人在盛酒。圖二是同樣的一個人和同樣的一個動作，但畫面是模糊的，是變了形的。

要拍成這樣的畫面很容易，一般上是用兩種最簡易的方法，利用玻璃和燭光。

把一個粗糙的玻璃瓶放在攝影機前□動，就可以使拍出來的景物形狀古怪。這大概和照哈哈鏡的原理相同。

把點燃的蠟燭，放在攝影機前使煙火在鏡頭前裊裊上升，這樣，也可以使拍出來的景物呈現一片朦朧變幻的景象。

圖二的畫面有兩條粗粗白白的光，這就是玻璃瓶的傑作了。你拿一個玻璃瓶在前面對着鏡子照，看看自己，也一樣這般有趣。

西西（一九六七年九月十五日，第七九一期。）

1 因解像度及比例問題，未能提供此文配圖，有興趣的讀者可至香港文學資料庫按題目查索、參閱。

這樣剪接[1]

電影和舞台劇所以不同，是〔因為〕電影的轉位遠比舞台劇多姿多采。剪接，就是使轉位多姿多采的一個大助手。

現代電影對剪接更其精益求精了，而且作風大膽，手法新穎。

圖中的六格菲林只是描述一個人在舞蹈。導演在拍攝時當然分別在兩處工作，一在戶外，一在戶內。但到了剪接時，竟大膽地輯在一起。我們看電影時見到跳舞的左足下降，忽然那足竟在戶內了。當然，在剪接上，動作的一致是配合得很仔細的，但我們做觀眾所得到的「刺激」可就大了。

像這樣的剪接，是現在的許多電影十分喜歡用的轉位手法，省時省力，不必花許多菲林去寫舞者如何入屋，也不必花時間去說明中間過了多少月多少年。

這樣的轉位，是不算怎麼超現實的，它不過把許多過程刪掉了。我們在《春光乍洩》中的攝影室內就見過不少同類的「迅速」剪接，只不過沒有轉位而已。

西西（一九六七年九月二十九日，第七九三期。）

1 因解像度及比例問題，未能提供此文配圖，有興趣的讀者可至香港文學資料庫按題目查索、參閱。

第三部分

《新生晚報》
「開麥拉眼」專欄

一

A・看電影是一回事。

B・逛百貨公司是另一〔回〕事。

現在舉例：

A・我們去看《偷渡金山》是看電影。我們是去欣賞這部電影的藝術：去搜索電影「給」出了一些甚麼及表現到甚麼程度；去尋求伊力卡山心目中的題材在以電影的形式來傳播時如何運用敘事建築學去構造；去探討演員們在作品裏面是花還是□。

這是看電影。看電影是一件嚴肅的工作。

B・逛百貨公司是一種消遣，逛百貨公司就不等於是看電影。

我們去看《好女十八嫁》是在逛百貨公司。我們是去看看莎莉麥蓮一共穿過多少件不同的衣服，梳過多少不同的髮〔環〕，我們是在開汽車展覽會，買風景畫片，享受百貨公司的豪華的美鑽。

看電影和逛百貨公司是兩回事。

百貨公司裏當然也有非常可愛的音樂在那裏叮叮咚咚地響，百貨公司裏當然也有複製品的名畫掛在牆上出售，百貨公司裏當然還有厚厚的名貴的書籍〔擱〕在架上，但這麼稀薄的投影也稱得上是藝術嗎？

百貨公司不是畫廊，不是圖書館，也不是音樂廳。

我們需要的是畫廊、圖書館、音樂廳，而這裏，百貨公司實在已經太多了。我們需要電影，需要看電影的人。

西西（一九六四年八月一日）

二

到〔了〕這個時候，我們實在必須和太陽賽跑了。

到了這個時候，我們就不能老是蝸牛一般的，背着一個十八世紀的殼。

現在的詩不是詩歌，現在的畫不是相片，現在的小說不是故事。所以，現在的電影也不是詩歌，不是相片不是故事。

電影是詩不是詩歌，所以，讓電影裏面充滿節奏，但不要給我們黃梅調黃梅調。

電影是畫不是相片，所以，讓電影裏面充滿活生生的人的像，但不要給我們一張張明星的玉照玉照。

電影是小說不是故事，所以，讓電影裏面充滿一片斷一片斷歷史的過程，但不要給我們 The End The End。

給我們一些新鮮的空氣，讓我們可以舒暢地呼吸。

畢加索用立體分析他的物體，瑪蒂斯着重狂熱的色調，秀拉用色點作畫，蒙特里用線條和面作重心，我們如果不懂得這樣的藝術，那麼我們怎樣可以懂得有這樣的藝術的電影呢？喬易斯用意識流的手法描寫個人的內在獨白，沙特用他的戲劇剖析存在主義，田納西威廉絲在發掘人類的底層的醜惡卻不流於自然主義，高克多以詩的情調介入活動畫面，我們如果不懂得這樣的藝術，那麼我們怎樣可以懂得有這樣的藝術的電影呢？不懂得瑞典，不懂得詩和超現實主義，就不懂得英瑪褒曼；不懂得意大利，不懂得迷失的一代，就不懂得費里尼。

我們必須和太陽賽跑。

西西（一九六四年八月二日）

三

我們的電影是「即興」電影。

黑澤明怎樣拍攝一部電影的呢？他找來他的一夥演員，給他們劇本，要他們背，要他們排演排演。

排演完了要綵排綵排綵排。然後是燈光的配合，音樂的配合都一模一樣地當真。菲林還沒動過一寸，「電影」早就拍好了。

英瑪褒曼怎樣拍攝一部電影呢？他比黑澤明還要嚴謹，黑澤明還有三船敏郎可以自己發揮發揮，因為黑澤明是導演，三船敏郎是演員。但是英瑪褒曼是作者。

英瑪褒曼找來他的演員，要他們做石頭時他們就得做一塊石頭，他們也是排演排演綵排綵排。英瑪褒曼和黑澤明不同，黑澤明是大樂隊的指揮，英瑪褒曼卻已經是作曲兼指揮了，不過，黑澤明有時也作曲，甚至他的曲一點也不遜色。

愛森斯坦，那麼多年前的導演了（早已死了的了），但是，他的拍片的態度就是叫人驚佩，劇本自己寫，音樂自己配，服裝自己設計，臉譜自己化妝，演員彷彿被他下棋一般地動。

而我們的電影是「即興」的。

當然，我們用不着愛森斯坦那般硬性的科學化，但至少要多排點，多設計，甚至把劇本搬上大會堂的舞台演三兩個月，就像《夢斷城西》，尤其有舞蹈的電影，要像《夢斷城西》。

即興沒甚麼不好。但即興是屬於有功力的天才的。

西西（一九六四年八月三日）

四

還需要一點兒東方。

「東方」是重要的，我們的電影實在是缺少了那麼一點點兒的東方。日本的《切腹》給了我們很東方的感覺，而且不但是東方，還非常非常地日本。

《花木蘭》雖然穿上了古老十八代的我們的古典的樣貌，但花木蘭並沒有讓我們感到東方，甚至感不到中國。

電影不光是讓我們看的。電影是要讓我們感的。我們可以看得見《花木蘭》的東方的臉孔，甚至就是中國的臉孔（但那化妝又實在不是古典的中國），有中國的衣飾，中國的擺設，還有點非常疏薄的中國風景等等，這些都是視覺上的還不十分正確的中國，我們沒有感到中國。

沒有一點兒的東方，中國，民族式的表現，我們的電影也就實在很淒涼了，那麼，我們的電影就去不到康城奪獎，去不到威尼斯得獎，就算去得到，但還是得不到獎。

想想，實在用不着牽涉到古裝時裝的問題，古裝片和時裝片不是電影的問題，穿上時裝不一定能代表現代，穿上古裝不一定能代表古代。同樣地，穿上鄉村的風貌不一定能表現農村，穿上都市的風貌不一定能表現城鎮。

主要的還是眼的問題。外眼和內眼的問題，肉眼和心眼的問題。所以，要給我們的內眼心眼看電影，要讓我們感到，感到東方，感到中國。

日本的電影值得我們模仿的不僅僅是它的攝影手法，蒙太奇運用，題材抽取這〔些〕方面，而是它的民族徵象。

西西（一九六四年八月四日）

五

請嘗試拍一部這樣的電影。

黑白。——電影作品的本質是藝術的，電影作品的本質並不是娛樂的，所以，站在藝術的立場一方面，我們應該選擇黑白。黑白是最具表現形象力的色澤，彩色的電影總是以濃密的光點作強度的放散，把我們眼睛向四圍八方拉去，坐在電影院中，我們實在不是來接受一場閃電的。稍具分量的電影十分九是以黑白完成，《野草莓》是，《四百擊》是，《天國與地獄》，都是。

無語。——牆上掛的一幅畫從來沒有出過一句聲音，蒙娜麗莎只兩手交叉地坐着，一個子勁兒地淺淺地自己微笑，她從沒有說甚麼，但每個人不僅僅看到她笑，而且是感到她的笑。我們應該盡量用畫面傳達，電影實在不是收音機。然後，用一種讀白式的音樂配入畫面，詩情的場面最適宜用，這是《風流劍客走天涯》給我們的啟示，是《太陽武者》給我們的啟示。日本去年參加西柏林國際電影節的《島》就是全片沒有一句對白的。

活景。——跑到戶外去。跑到街上去。不要獃在片場裏，這裏的梯級梯級大廈大廈石牆石牆可以給我們可愛的建築感，這裏的層□窗框門欄可以給我們美麗的圖景；我們就從死板板的佈景中走出來，我們就在電影中看得見我們知道這是真的天空。

然後是很簡單的題材，簡單得像一個白領階級在五點鐘上班，擠在牛也似的人群中，搶巴士搶船搶巴士，想讀報想想。從下班〔到〕抵達家門，電影已經完了。

西西（一九六四年八月五日）

六

（一個白領階級五點鐘下班，回到家裏。）很簡單的過程。

這很簡單的過程可以拍成一部電影。我們可以表現香港，表現一個人，表現地域，表現心想。

我們可以用許多不同的方法去處理這些場景：

白蘭氏雞精式——你一定在電影廣告中見過它的了，那幾個游泳的人，或者有時候是拍網球的人，我們看不見他們一連串的完整的動作，只看見一幅一幅的貼圖，是擊打出來的閃動。法國的電影很慣用這手法，看《野貓痴情》的最初五分鐘是靜態，描述女孩子戴了草帽騎腳踏車，接着便突發地換上了拍擊補畫法，這不過是黑房的剪接的工作，我們就用這方〔法〕準備表現一個白領階級如何搶巴士、搶船，拍那一幅一幅的臉，正面側面側面正面，拍那些人的一雙雙足，球鞋的足高跟鞋的足，肥的腿瘦的腿，然後拍巴士頭，巴士尾，巴士門，這樣，我們就是在企圖以縱橫的寫法描述時空，我們且是在作時空的濃縮。

攝青鬼式——這是超現實的映畫轉位，一個白領階級上了船，擺着一張報紙，一切都靜下來了，我們開始透過他的心象去搜捕一大堆空處的事物，從他的腦子進入他的影子的〔遊溢〕，我們加插他的一生半生的回憶，只要鏡頭靈活，《流芳頌》的郁味就浮出來了。這個坐在輪渡上的人，我們已經讓他的靈魂到處飛行。

只要找一個很好的演員，只要找一個很好的編導，只要找一個很好的攝影師，只要找一個很好的剪接手。

這麼多的很好，談何容易呀！

西西（一九六四年八月六日）

七

快將捲土重〔來〕的《戰爭與和平》，你認為它是一個電影嗎？（當我們稱電影，我們的態度是嚴肅的，我們以它的本質為基礎。）

嚴格的說，《戰爭與和平》不能算是一部電影，它只是一個很活潑的小說忽然吸進了一口氣，裏面的人物都站了起來。而那些人物，就當我們每翻一頁書的時候呈現在我們的跟前，卻依照書中的提示在活動。

我們於翻每一頁書的時候活動。那活動就是寫《戰爭與和平》的作者的形式，那是一種小說文字結構出來的銀幕活動，而這，這不是電影，因為它的形式不是電影的，它的形式是小說的。

電影有電影的形式，它的結構和小說完全不同，一般的編劇專於把整個小說（如《紅樓夢》，或者《七仙女》）抽取「中心」，刪掉細節，保存大局，以為這就是電影，實在是很錯誤的。那樣做根本已經不是編劇，前者是在斬碎別人的小說，切頭切尾，只要魚身，而我們知道，魚身並不等於一條魚。編劇的工作是重新寫過一個「小說」，他只能取精神，不能取結構，他用的是攝影機，不是字。

《梁山伯與祝英台》。這個電影如果要收電影效果實在一開場就該拍樓台會，從梁山伯喜氣洋洋來到怒氣沖沖走，倒插前因（離家，讀書，十八相送——不必順序，依電影情節加入），橫貫後來（逼嫁，喪訊，上轎，藉想像表出）。這樣，已經把過去未來現在三時間混在一起，但主場只有一個。最後，只用一個鏡頭指向新墳和新娘之屍。完場。而這，絕不是我們的編導願意的、膽敢的。

西西（一九六四年八月七日）

八

馬在奔跑的時候，四蹄是同時離地的？

馬在奔跑的時候，四蹄不是同時離地的？

有兩個人在為這樣的一個問題爭論，那是一八七二年。馬在奔跑的時候，四蹄是同時離地還是不同時離地的呢，爭論的兩個人就一起到郊外去看馬跑，但是馬跑得太快了，他們看不見馬蹄是否同時或不同時離地。因此，他們利用廿四架攝影機，一連串排在馬奔跑過的路旁，而那每一個相機攝得的照片連起來就成了活動的圖畫，這，也就是電影的開始。（結果是二馬在奔跑的時候，馬蹄是同時離地的。）

快活谷的電眼的設備，就是為了看馬，仔細地看馬。重要的是：仔細地看。準確地看，清楚地看。看到的看。攝影機有這樣的本領：可以給我們看見我們肉眼看不清楚，看不仔細，看不準確，甚至看不到的東西。我們在實在應該利用攝影機的特長。一部偵探片故意特寫一條鎖匙，把它放大移到我們面前來，而在舞台上，我們絕沒有可能看到一條鎖匙的特寫，銀幕上我們可以看到。沉默者一雙深蘊語言的眼睛，但在舞台上我們要從其他的陪襯體上感覺出來。因此，作為電影，我們得把舞台劇和電影分開，我們要以電影替代我們肉眼的不足，像《梁山伯與祝英台》裏面，我們實在應該特寫祝英台的耳環。作為舞台劇，那是不可能的；作為電影，那是要爭取的。

要讓我們能夠得到一種「馬奔跑的時候，四蹄是同時離地的」滿足的快感。滿足我們眼睛無法辦得到的以別的事物辦到而有所收穫的快感。

西西（一九六四年八月八日）

九

不知道香港有沒有傻瓜。一群傻瓜。

是這樣子的一種傻瓜：自己拿錢出來，自己拍電影，拍自己喜歡的電影，拍稱得上電影的電影。這樣的一種傻瓜，香港似乎還沒有過。

外國有很多這樣的傻瓜，尤其是美國東岸的紐約，尤其是歐洲的法國和意大利，今日影壇所以如此蓬勃（是藝術水平上的蓬勃不是賣座造成的蓬勃），倒還是那些傻瓜的功勞。而香港，這個地方有很多可以使傻瓜得到先天條件的優勢。

地理——這個地方既是大都市，又富有東方色彩和民族特徵，隨便抽取一些，決可以拍出電影的。

攝影——這個地方的攝影術是世界著名的，每年拿了一大堆的金牌銀牌，但沒聽說過威尼斯，康城，西柏林或者舊金山，愛丁堡，阿根廷的影展給過我們甚麼。

引力——外國窮小子不算小，大電影公司不算壓力不大。新潮派，新寫實主義，新電影那一夥人早已開了先鋒，只有這裏，還是袖手旁觀。

市場——電影院有多少間？觀眾有多少，香港的市民一有空還是擠進電影院去。觀眾裏面不是有很多的聲音在喊：「宜有電影看，沒有電影看」嗎？

最好跑一些傻瓜出來了。這麼廉價的菲林，這麼寬闊的馬路，這麼多的人，為甚麼不拍些「香港日生活」。為甚麼不拍些專題短片的「香港交通」，「香港水上生活」，「香港的徙置區」？拿去比賽吧拿去展覽吧。賣給旅遊公司還可以賺錢呢。

西西（一九六四年八月九日）

十

一幅畢加索的「薩菲特第八號」擺在那裏，[1] 有人說：看不懂。其實那不過是一幅馬尾少女的側面像，但怪的是全畫是一方方的方塊，又只藍的和紫的兩重色素為主。但是有人說：看不懂。

為甚麼看不懂呢？因為這個人不知道畫畫和攝影是兩件事，因為這個人不知道非洲木刻給畢加索的啟示，因為這個人不知道塞尚說過自然中的一切，都可以從球、圓錐形、圓筒形裏〔面〕求得，因為這個人不知道畫畫不但是要表現甚麼還要怎樣表現，因為這個人不知道畫家是在畫人的形象，「神」的特質，因為這個人不知道藝術都是藝術家對自己心中的神的搜求。

我們實在不希望一個對藝術一丁點兒也不懂的人稱讚畢加索，或〔者〕貶斥畢加索，同樣地，我們不希望一個對電影本質一無所知的人對一部電影作品稱讚或貶斥，欣賞藝術是需要培養的，藝術是有一定的水準的，聽不懂杜褒西的作品的人決不能認為杜褒西不是音樂家。

看電影是需要學習的，看電影實在不是每一個人懂得的事。每一個人可以會看電影，但他們不懂得。我們希望每一個人學會懂得。不光是會，要懂。

最起碼的懂，是知道技術上的有淡入淡出，割，濃縮，映像轉位，然後要糾正以往的一種眼光，一般人以為電影是文學的活動化，而文又必須載道。先要消除這樣的

---

1 薩菲特，即 Sylvette David，今譯希爾維特、希薇特。畢加索曾於 1954 年以她為模特兒，創作超過四十幅作品。

成見。電影的形式和文學的形式的分別大多了。如果你分得出散文、詩、小說的分別，你必定能分出文學和電影的分別。正如你分得出甚麼是音樂，甚麼是繪畫。

西西（一九六四年八月十一日）

十一

如果我們很欣賞一個演員的演技，我們不能夠把所有最好的名詞加在那個演員的身上。演員所以表現得如此成功貼切，多半是因為導演給了他準確的提示的緣故。

《七仙女》。很活潑的江青是嗎？只要看看電影畫報，就知道李翰祥才是七仙女的靈魂，我們看見江青的臉，江青的形格，但那些步態、手姿、袖勢，都是李翰祥的。演員，演員是導演的傳真。好的演員傳最適量的真。

看見演員的時候，要想起導演。

如果我們很欣賞一個電影的分場，我們不能夠把所有最好的名詞加在導演的身上，電影的分場所以如此成功出色，多半是因為編劇已經寫下了結構的緣故。

《山歌戀》。有個很可愛的分場。「爸爸又去賭錢了。」秀秀說。而爸爸果然立刻轉畫地出現在賭台上。很可愛的分場，但那應該是編劇的工作，編劇並不是寫故事的人，編劇是〔把〕拍電影次序計劃出來的人。（就像播音劇，編劇是把聲音先後排列好的一個人。）

如果我們很欣賞一個攝影角度，像《夢斷城西》，我們不能把所有最好的名詞加在那個攝影者的身上，角度所以取得那麼獨特標奇，多半是由導演「繪」出來的緣故。銀幕的光度的明暗，彩色的清晰，影像的分明才是攝影者的功勞。

在許多電影中，編劇導演都是一個人，像英瑪褒曼，像黑澤明，像伊力卡山，像希治閣，這些人所以比別人得到更多的榮譽不是沒有緣故。

西西（一九六四年八月十二日）

十二

劉以鬯說：這些年來，為了生活，我一直在「娛樂別人」；如今也想「娛樂自己」了。於是，他寫了《酒徒》。我們希望拍電影的人，也能夠嘗試一下「娛樂自己」。

那麼，請先把新藝綜合體這東西扔掉。新藝綜合體那特藝彩色都是〔為〕「娛樂別人」而存在的。那麼，也請先把全景〔闊〕銀幕、伊士曼七彩這類東西扔掉。剩下來的，剩下來的就足夠娛樂自己了。

很少的「新藝綜合體」最後可以拍成上選的電影作品，甚至已經不錯了的《天國與地獄》、《魂斷奈何天》還是因為用了新藝綜合體而減低了大部分的銀幕建築美。請審察：新藝綜合體是銀幕建築美最大的敵人。

繪畫有所謂黃金律，攝影也沒有例外，很少人能像何藩那般有膽有謀地把作品切成橫狹條直狹條，事實上一部《梁山伯與祝英台》，銀幕上來來去去兩個人，用長形的新藝綜合體來表現，表現些甚麼美出來了呢？《花木蘭》還可以誇張一下魚貫而行的兵隊，《不了情》依然在學《夜半無人私語時》的打電話方式。

長形銀幕可以使畫面切成公式化的兩半，一如南北地球，轉換畫面遠不及方銀幕靈活，在方形銀幕上，對角線，平行線都可自由呈現，而長形銀幕，本身已〔陷〕入水平線狀態，人物景像的出現，〔總〕給人一種排排坐的感覺。新是好的，但電影要走的路除了新，還得〔穩〕，何況我們的電影的新是人家的舊，而步子又還沒有踏實。

我們要不怕從頭做起，從頭做起並不是退步，因為我們一開始已經走錯了路。

西西（一九六四年八月十四日）

十三

看《金蓮花》看出一些東西來了。

王萊可以當主角演一部出色的電影。黑澤明很懂得選人，三船敏郎是塊材料，如果碰不上黑澤明，別說三船，十條船都沒有用。王萊也是一塊材料，就看這裏的導演編劇有沒有眼光了。

很簡單的，像《金蓮花》一般用的是黑白兩色，像《金蓮花》一般描述那個時代，像《金蓮花》一般展現一個女性，但必需更深入的透視一個活生生的人的掙扎，而不是目前的《金蓮花》的面貌，只不過在傳達淡淡的哀愁的故事。

不是要注意那些情節，而是注意那個人。本來，演性格的電影並不容易，因為我們一直沒有英瑪褒曼旗下的那些□□的性格，既沒慧雲李，也沒有柯德莉夏萍，可是，我們畢竟還有個王萊。把最多的戲給她，把最重的戲給她。然後，編劇的分場變通得靈活些，鏡頭吸取多些顯微式的寫照，王萊可以演，戲可以成功，電影可以上影展去。

成本會很低的，小銀幕，黑白，也許有許多人不愛看，但想想，就是這一類的電影可以打開國際的市場的大門，如果老是《寶蓮燈》，老是《武則天》，怎麼能樹立伸向歐陸的地基呢？

就算嘗試失敗了，又能花多少錢。

演吧，演一個「因戰亂失散的小女子，淪落在窯子裏。後來從了良，和丈夫分開了，然後，拜金，然後，又疼自己的女兒」。拍一部這樣的以一個人為中心的電影。

西西（一九六四年八月十五日）

十四

對於甚麼是非電影，甚麼是電影，還要在這裏舉一個淺淺的例。這樣，大家就會更明白些。

大家一定會看過《幻想曲》這部電影的，就是和路迪士尼的 *Fantasia*，這部電影實在是一部卡通，從頭到尾都是畫出來的，而畫的內容完全是根據音樂的「內容」。和路迪士尼實在是花了一些心思的，他喜歡音樂，但是音樂並不是每個人都聽得懂的，為了介紹音樂，他便把音樂的內容畫了出來，於是當我們坐在電影院裏，耳邊聽到音樂家的作品，眼前便顯出音樂中要表現的物態情態來。（作為介紹音樂，和路迪士尼這樣做是失敗的，就像對一首現代詩硬要加上注解一般可笑。）

在《幻想曲》中，給大家印象最深的應該是貝多芬的《田園交響樂》，這音樂中跳舞的地方銀幕上也在跳舞，閃電的時候銀幕上也在閃電，但試問，我們是在電影院中聽音樂了還是在看圖畫了呢？相信我們都是被那些畫面吸引着。我們忽然喜歡起《田園交響樂》完全是因為電影中那天馬浮游得多自由，酒神喝得多醉，人馬的神仙多古怪，小天使多頑皮。但是誰會因此想到音樂所給我們的美的樣貌實在不是藉那些畫面傳出來的，而是通過音樂的本質——曲式，各種樂器的演奏——所表現出來的。

我們現在看電影就走了看《幻想曲》電影而喜歡《田園交響曲》的毛病。一個不懂得樂理的人和一個懂得樂理的人聽音樂，與一個不懂得影理的人和一個懂得影理的人看電影的深淺的分別，大家一定可以確知了吧！看《幻想曲》不等於聽《田園交響樂》；讀銀幕活動小說不等於看電影。

西西（一九六四年八月十六日）

十五

大會堂的低座花園裏擺了兩件亨利・莫亞的雕刻，這實在是值得歡呼的事，但這也是會叫香港人大吃一驚的事。這兩個雕刻不說那個直直的「向上動作」，單單是「婦人」已經夠叫人看呆了。這也算是雕刻嗎？這也算是藝術嗎？那個頭小得像一粒豆，淺淺地印餅般貼着眼睛嘴巴，這算是甚麼藝術？

但是，亨利・莫亞是荷丹以東最出色的雕刻家之一，甚至不是之一也無愧。而這樣大名鼎鼎的藝術家的作品，在全世界早已聞名了的（聯合國就邀請他放了一個），在香港卻是非常陌生的。

我們將會遇到一個令我們來不及接受的新世界，而這世界，在香港之外已經早已陳舊。看，這多可能。在電影方面，我們甚至也已經來不及接受別人的新，我們現在叫做不懂的電影，在國外早已不是一個大問題（就像沒有人對畢加索還否定甚麼，懷疑甚麼）。許多的電影都在嘗試走更新的路，把電影〔更獨〕立起來，星期二晚在大會堂看的 *Hallelujah The Hills* 雖然和《風流劍客走天涯》一樣要許多絕口，但在表演上用的全是橫貫的手法，名符其實的是意識流，可是，這裏〔的〕人連〔意〕識流的小說也不多看一本。

我們將會見到許多的叫我們無法來得及去迎見的新電影，到時，難道我們只張大了嘴巴算數嗎？這樣的日子要來的，已經在來了，當見到一個電影像〔幅〕抽象畫，你的感覺是怎樣？

西西（一九六四年八月十七日）

十六

如果你真的對電影作品入了迷，又喜歡真正的電影作品，我想，你實在應〔該〕加入〔這〕裏的「電影協會」。當然，還要你捨得為藝術花點錢，而這是花得值得的。

香港市面上放映的電影已經在逐漸改善了，最近的《意大利式離婚》和《切腹》都很可以迷迷愛好電影的觀眾，但是，市面上公映的藝術電影作品還是太少了，要看好的電影作品，像英瑪褒曼的、高克多的、費里尼的，以國家來說，波蘭的，法國的或美國的東岸紐約的新電影，到那裏去看呢？

電影協會。

是的，要花一點錢的，看一場電影會比普通的貴一些的，而且還要加入做會員的。但這樣還是很值得的呢，有好的電影作品可以欣賞研究了。

（我可不是在替電影協會宣傳，只是介紹你一個可以看好電影的去處。總是在大會堂，在晚上，總是一個月看三兩次。）

最使人妒忌〔的〕還是那些電影根本不會在香港公開放映，就算公開放映也不會有人喜歡看，懂得看。而且一般電影院的情調也着實及不上大會堂的電影廳。

最近將有「英國電影影展」、「西部片影展」。以前的《去年在馬倫堡》、《廣島之戀》、《四百擊》，都是只有電影協會才有得放映的。

別老是躲在荷里活的陰影下，走到有陽光有新鮮空氣的地方來吧。外面有很高很高的山。

西西（一九六四年八月十八日）

十七

許多人喜歡看西部片，西部片總是那麼熱鬧的。我也喜歡看西部片，喜歡看西部片的一種風格，喜歡那麼的一種西。那些沙地，那些馬，那些黃色的背心，重的皮靴，輕的領巾，快的槍，動的子彈，這些都很西。當然，西部片有的看了叫人很舒服，很佩服，很折服；有的叫人看了卻不服。但每一部西部片裏面那種西的味道總是有的。

我們可不可以拍西部片呢？實在的，我們沒有那樣的牛仔，那樣的紅番，那樣的風格，我們根本就從來沒有這一套的，就算是薛仁貴征東，薛丁山征西，張騫通西域，那個西，完全不是這樣的西。我們不能拍西部片。我們拍甚麼呢？

我們要拍北部片。

我說的這個北，是不分時間、不分時代的，似乎，我們的文化一向集中在北，長安洛陽還是比這裏北，如果拍北，才能表現出我們的風沙滾滾的邊域，馬匹，或者河水的涼度。說起來，我們的電影是在表示北，我們已經拍了許多許多的北部片了，《花木蘭》是北的，《金蓮花》是北的，《梁山伯與祝英台》雖然是南的，但在香港看，還是北，但這些北使我們覺得生疏，彷彿總欠了許多甚麼東西。那些梧桐不像，那些雪也不像，我們現在看到的北總是梳大辮子姑娘的北，那《山歌戀》是南還是北呢？人物那麼北，風景卻那麼南。

在香港，要就拍香港的南，拍戴着黑口布邊的帽子的舞女的南，要不能，就得拍真真的北。我們愛看人家好的西部片，也愛看自己好的北部片。

西西（一九六四年八月十九日）

十八

電影工作者有很多種。直接參與一部電影的工作的除了演員之外，還有很多種。

Producer ——出錢拍電影的人，我們稱他做製片。有的時候，我們稱他做監製。像〔施素〕德美。

Director ——電影拍攝過程中，指導一切行動的人，我們稱他做導演。像稻垣浩。

Scriptwriter ——寫劇本的人我們稱他劇作者，這個人只是寫劇，並不一定編劇的。像阿瑟米勒。

Screenplay-writer ——寫電影劇本的人，我們稱他做編劇。像田納西威廉斯。（但有時也寫而不編。）

Film-author ——電影作者，他把電影當作文藝創作，自編自導，有作曲家、雕刻家的精粹。像英瑪褒曼。

Director of photography ——拍攝時特別協助導演提供取角度意見的攝影顧問，我們稱他做攝影指導。這個人是不執行攝影工作的。

Photographer ——執行攝影工作的人，我們稱他做攝影師。

Editor ——照導演的意思把菲林要割開的地方割開，要縫合的地方縫合，做這種剪接工作的人，我們稱他做剪接。

Music ——配音樂的人。但唱的歌曲多〔數〕不是他要做的工作。

Art director ——他是美術指導，片頭的設計也是他的工作。

西西（一九六四年八月二十日）

十九

一直在說別人的電影好，我們的電影有沒有好的呢？有。在香港來說，電影的成就遠比這裏的小說好，比這裏的廣播劇好，比這裏的電視節目好。我們一直說它這不行那不行，不過是希望把它一拖拖上天，不過是因為我們的水準設得太高。老老實實地說，香港這塊沙漠地方，還是電影的有些進步。（實在可以驕傲一下。）

翻開報紙看看，一張副刊上乾淨的小說就沒有多少篇，國語片在銀幕上倒幾乎還全是乾淨的。翻開正版的新聞看，少不了是狗狗馬馬，而一些電影到底除了黃梅調還有山歌，除了山歌還有小調，除了小調還有時代曲。扭開收音機又如何，偵探偵探，死人死人。電視上的都是陳年的垃圾，像這樣子的一個地方，算起來，還是電影坐第一把交椅。

廣告上的「香艷刺激」是別人的，不是香港是日本，廣告上的「激烈狠鬥」是別人的，不是香港是荷里活，在這方面，我們的確比別人高級。

近年來，彩色片也有了最大的進步，佈景也像真了，無論從那方面看，國語片的製作自人力物力上都增進了許多。目前所欠缺的，就是如何叫觀眾的製片的都醒悟過來：電影不是一部書。就像繪畫不是攝影。而這，就是最難的地方，到了今日，我們依然需要費許多唇舌去解釋繪畫不等於攝影。

我們只欠東風。我們甚麼都齊備的，就像一條船停在水上。

西西（一九六四年八月二十一日）

二十

一場大戰開始了，銀幕上千軍萬馬的，事後一定配上了響亮的號角聲、喊叫聲了吧？其實遇上這樣的場面，完全不配音，全院鴉雀無聲卻會收反效果。電影這東西是很怪的，有時需要一點反常。我們試過全片沒有對白，只有物音沒有人聲嗎？試過某一場面連物音樂音聲音都沒有嗎？試過用單一的樂器〔敲〕打單調的節奏嗎？試過凡是其中一個人出現時必定規定用某一種的旋律嗎？這些都是電影配音上很重要的。

很多的聲音是可以利用的：

描寫時間的過場的除了用時鐘的的搭外，可以利用打樁的聲音代表〔壓〕力（不要傻得以〔為〕打樁的聲音只代表打樁），彈鋼琴用的拍子機的聲音可以暗示緊張，一粒彈子在樓板上滾過可以引起焦慮，甚至粉筆在黑板上劃過的裂聲，鞋子裏面裝滿了水的聲音，氣球洩氣的聲音，都較一般汽車、火車嗚嗚聲清新些。

用牛的叫聲來形容一群女人衝進百貨店別人用過了，但這一方面給了我們不少啟示，描寫小孩子遊戲時可以配上小鳥或小雞的〔喧〕叫，兩夫婦吵架時配上鬥牛的西班牙節奏都可以增進電影的情趣，這些，編劇的花點腦筋一定不會覺得難。

在電影中，音樂是助陣的，不是主將，但有時不妨給機會它演演身手，純粹用音樂敘述。《勝利者》中槍決逃犯一場，配的是聖誕歌叮鈴叮，收的就是對比的調子，《天涯一美人》許多場都以音樂替代了戲劇的進展。

西西（一九六四年八月二十二日）

快樂

連滿週末請早

每日三場 兩 五 九
點半點九點正

哥倫比亞攝製三千萬金元戰爭愛情巨片

新藝綜合體 片上中文字幕

製片，編導，演。

加路科文

繼「六壯士」後又一驚人大傑作！

陣容強勁 聲勢浩大

勝利者

VICTORS

佐治咸美頓 阿爾拔芬尼 雲仙愛德士 占士米滿

彼得方達 山打柏加 米高哥倫 珍妮摩露 施雅芬奴 佐治比柏

十大紅星主演

二次大戰盟軍反攻的一幕動人故事！

二十一

我們這裏的電影大概分成兩種，是古裝的和時裝的，是悲劇的和喜劇的，其實，不只是我們這裏的電影才分成這兩種，世界各國的電影也不過是那二種，不過，別人比我們多了一種電影的形式，就是令你夢想不到的怪電影，怪電影是我們香港最缺乏的。「怪」可不是神怪的怪，而是全新，人家沒有的他有，人家不敢的他敢，人家以為是不賣座沒人看的他照樣拍照樣放映。「怪」電影就是嘗試的表現，嘗試是勇氣的表現。

且說這裏的喜劇片，喜劇片多是以諷刺幽默甚至胡鬧為主的，最重要還是想一些「橋」使人笑個不亦樂乎，早些日子看了一些「橋」，覺得甚為不俗，如果在電影中偶然用一次，效果大大不同。

有一種場面是這樣，一個人在路上跑，一直在跑，跑了許多許多的路，但是編導的要怎樣表達他跑得非常吃力，沒了氣呢？銀幕上乾脆出了一個字，就是「Breathless」，像這樣子是非常有趣的，雖然不會叫人哈哈大笑，但已經可以覺得十分有趣，如果讓梁醒波演喜劇，讓他一個人從地下一直跑上九樓，銀幕突然映三個大字：「冇晒氣」，然後畫面轉換，一定可以出色一番。有人以為電影是電影，弄上字算甚麼，但默片時代的電影都是用字講述的，而那「冇晒氣」三個字，抵得上十分鐘的菲林。銀幕上加插文字，如果用得成功，會增加戲劇的效果，這是應該模仿的，但這只能作為嘗試用，一天到晚如此這般就會叫人倒胃了。

西西（一九六四年八月二十三日）

二十二

有一個人告訴我，畫連環圖的通常需要兩個人。一個是專畫人物的，這個人拿較多的錢；另一個是畫背景的，拿較少的錢。畫人物的人只要畫人的衣服，動作，樣貌，姿態；畫背景的人就在空白的格子裏填上樹木或桌椅，加上替人物的衣服畫上花紋。畫人物的人拿較多的錢是因為在連環圖中，人物比背景重要。

在銀幕上呢，人物重要還是背景重要呢？這裏的古裝片給我們的感覺常常是背景全是陪襯的，既發掘不出一些「時代」味（漢朝宋朝唐朝都是一個樣子），也表現不出一點活動感來（每一朝代總有一點特色吧？但全是一副樣子的中狀元）。似乎銀幕上唯一叫我們一眼看出的就是清朝和民國初年。然後，往回數就一團糟了（就像凡是大陸來的都是上海人）。不過，這且不去說。因為年代那麼久了。

時裝片是最應該表現時代的了吧，但銀幕上的時代幾乎是高貴的餐室和疏落的夜總會兩項。此外是飛機場（火車站是少見了，有錢人到外國去都坐飛機，船也不見了），私家車，漂亮的公寓。背景是多麼重要呢。背景不是陪襯的，是描述敘述的。《天國與地獄》中，兇手闖進夜總會，那些人才顯出了現在的日本生活方式，還圍着吃角子老虎，很日本。香港的銀幕實在和生活脫節了，反而是粵語片，板間房，菜場，徙置區大廈，真是活生生的。如果喜歡「高貴」的背景，那麼快活谷呢，大會堂呢？試試去搬它們上銀幕。搬裏面的，不要外面的。

西西（一九六四年八月二十四日）

二十三

《偷渡金山》，伊力卡山的，我們喜歡。請注意，這不是新潮電影。《野草莓》，英瑪褒曼的，我們喜歡；《流芳頌》，黑澤明的，我們喜歡；《恐怖的伊凡》，愛森斯坦的，我們喜歡。請注意，這些都不是新潮電影。還有很多很多喔。美國的《夢斷城西》，《劫後昇平》，《天牢長恨》，《苦海奇人》，日本的《怪談》，《羅生門》，英國的《一夕風流恨事多》，我們都喜歡，它們都不是新潮電影，有的還甚至沒很新潮。

我們只是喜歡好的電影，不管新潮舊潮。在我們喜歡的許多電影中有《廣島之戀》，這才是新潮電影，新潮是我們喜歡的之一，也有許多的新潮我們容納但並不一定接受。（我們容納狂人，但並不一定接受。）新潮電影來自法國，事實上我們也喜歡意大利的，瑞典的，英美的，日本的，甚至喜歡我們自己的古老的《小城之春》和《我這一輩子》。

我們喜歡電影的時候，實在還顧慮到這般的問題：像《勝利者》，不算很了不起，但那群演員演技夠叫我們折服了，編導的拍製的〔精神〕夠叫我們敬佩了。電影拍出來是失敗的，可是我們還是承認它是成功的。外國有許多電影都是處在嘗試的階段，實在還配不上稱為優秀的作品，但我們依然喜歡那些電影，因為最低限度，拍電影的人是在幹。苦幹，硬幹，不顧一切地幹，有理想地幹。

我們重視幹的精神，〔用〕許多人喜歡借喻的說法是：「薛西佛斯拉大石上山的精神。」我們所喜歡的新潮舊潮也不過是因為那些電影的背後有一種精神在支持吧了。

西西（一九六四年八月二十五日）

快將獻映：一部具有氫氣彈威力的巨片

大製片家：權威導演：伊力卡山 繼發掘：占士甸

史提斯尤萊士

初登銀幕一鳴驚人傑作

《新生晚報》「開麥拉眼」專欄

二十四

過些日子，大家可以去看看《金屋風波》，是日本片。這個電影有一些場面很吸引我。

一、開場的時候，字幕的名字是一個一個字打在字幕上的，用的是打字機的的塔塔的配音，這個電影是和《天國與地獄》，和《三野狼》同一類型，打字機急促而單調的聲音，很有點氣氛。以前，我曾被賀茲保荷斯演的《碧血千秋》(印地故事那一部）片頭的鐘面的時針分針秒針的節拍吸引過。

二、有一個小林桂樹。《同命鳥》中他擔大旗演啞巴，這一次，也是主角，演得穩，演得沉，本片的風格又有點近黑澤明的《流芳頌》，只是後半部結尾鳴金收兵也太突發些。不過，從頭至尾，小林桂樹那種中年人的角色，決不是漂漂亮亮的加山雄三可演，也不是威風凜凜的三船敏郎扮得來的。

三、分場多，簡潔。其中有一個鏡頭為小林桂樹和情婦在街上走，他問：「你怎麼答他呢？」說這話時，兩人路上走，但鏡頭一換，兩人已經在餐室中坐下了，她才說：「我怎樣答他嗎？」在生活上，由街上到餐室中要經過相當時間，但銀幕上一轉就行了，而那兩句話一問一答，根本是完全接續的，沒有中斷過，像這種的功夫，才真是電影的手法。我們喜歡電影也因為它的確不是普通舞台上所能夠表現出來的像這樣的一種時間的濃縮。

四、故事緊湊。對希治閣失望的話，看過這電影倒也可以滿足，還有那配音，常常用一種豎琴般的音響進行。行。

西西（一九六四年八月二十六日）

二十五

錢絕對不是問題。有人以為我們的電影不及別人的，是因為我們的經濟情況及不上人家，我們沒辦法動用四千萬元拍一部《埃及妖后》，也沒辦法拍任何的《風雲群英會》、《萬世英雄》或《戰爭與和平》。且問，誰要我們拍這樣的電影了？就算我們有千千千千萬萬萬萬的億元，我們也用不着拍一部《埃及妖后》。所以，就不是錢的問題。我們現在的情況不是比戰後意大利的那些富有了嗎？

那麼是藝術頭腦、藝術環境的問題。有人以為我們的電影不及別人的，是因為我們不是法國，沒有畢加索沒有加繆，我們沒有辦法拍一部《去年在馬倫巴》，也沒法拍《廣島之戀》。且問，誰要我們拍這樣的電影了？人家早已拍完了，我們最了不起還是抄襲，而且我們是中國，不是法國。印度不是法國吧，日本也不是法國，也沒有那樣的藝術頭腦和環境，但日本和印度的電影水準比我們的高。

我們要學意大利，拋開甚麼「藝術」和「金錢」，老老實實地來，錢不是不重要，亂花的話不如節省些，沒有的話也不必硬湊出來。我們是甚麼樣子就拍成甚麼樣子。做面鏡子行不行。意大利當年吃了敗仗，但還是做了一面好鏡子。

我們現在學人家的，是學的銀幕建築的 ABC，還不配說是電影創造的 ABC；所以，我們是要打好基礎，將來，就表現我們自己的，寫我們自己的電影創作理論，現在卻還早。

西西（一九六四年八月二十七日）

二十六

有很多人說看不懂某一些電影。我在這裏舉一個例。電影剛發明的時候，有一個法國人叫做喬治·馬里，他專喜歡拍一些古古怪怪的叫人驚訝不已的電影。他覺得自己拍電影不過是像一名魔術師一般。(可以說：這人是希治閣的先驅。)他專拍些甚麼呢？像這樣子：一個人坐在椅子上，他就拿了攝影機拍攝一個人坐在椅子上，然後他停了不拍，叫坐在椅子上的人走開，然後他就繼續拍那張椅子。放映的時候當然是十分有趣的，一個坐在椅子上的人忽然不見了，觀眾不明白道理，當然覺得有趣。不過，這樣淺的道理，我們是都懂得的，但我們要記住，這已經是電影和其他戲劇舞蹈不同的地方了。

我們現在不是要講坐在椅子上的人怎麼不見了的問題，因為到了今天這早已不是問題了，我們要提出的是有人坐的椅子和沒人坐的椅子之間的一段〔壓縮〕，現在許多電影都喜歡來一下子類似的情形，過場十分突然，一個人離開一張椅子，照常理是要被看見他起立，開步走，然後剩下空椅子的，但現在居然少了中間的一段。

少了中間的一段。這就是現代電影的特色。這就是說，現在的電影不是敘述的，決不會把一個人從椅子上如何走開描寫給你看，而是只給提示，只說人離開了，至於中間的一段過程，需要觀眾自己去聯想，自己架橋梁。因此，有些導演在創造電影時純粹給出許多的提示，觀眾如果不肯聯想，不共同創造的話，就沒法和編導的心境溝通。有人在紙上只畫一雙眼睛，如果你能在腦子裏立即可以從那一雙眼而組成一張臉，你對「現代」將一無所懼。

西西（一九六四年八月二十九日）

二十七

許多人知道羅米歐朱麗葉，但是他們不知道莎士比亞。許多人知道占士甸，但是他們不知道伊力卡山。其實，電影史上的名字遠比文學史上、音樂史上、繪畫史上為少，提起文學，我們可以由荷馬數起，然後一連串的莎孚、維琪爾、賀拉士、奧維特、但丁、喬叟、西萬提司、史賓遜、莎士比亞。如果數到現在二十世紀而停止，實在早已被人編了厚厚的書，而這些名字可不是少年維特、夏綠蒂、雪尼卡登、唐吉柯德、唐璜他們。對於文學來說，文學家可以說是死而無愧了。音樂家的貝多芬他們也一樣，大家可以不知道有「命運交響樂」，但不會沒人不知道貝多芬。大家可以不知道《戰爭與和平》，但不會不知道有個畢加索。可是電影是最後的，大家都知道依莉莎白泰萊、李察波頓，很少知道甚麼尊〔侯〕士頓。學校裏面有歷史讀，歷史書上也會一開始講文學就推荷馬，一推繪畫就搬文藝復興三大畫家達文西、米開朗基羅及拉飛爾出來，但是，歷史上從沒有提過電影作者的名字。一個人可以隨時數二三十個文學家音樂家畫家的名字，但數二三十個電影作者的名字就真要命。由此可見，我們對電影這方面可以說是過於無知，而這種無知不是我們自願的，一切的藝術都有悠久的歷史，而電影不過才七十多年，因為電影是新得叫我們來不及接受的，教科書上還來不及編上去作為一種知識。對於我們的被逼的無知，我們所能做的只是：迎接我們來不及接受的「新」。如果我們沒本領接受，我們怎麼分辨它的善劣醜陋和美好呢？

西西（一九六四年八月三十日）

二十八

有一次，看一部外國人演的電影，但是沒想到那些人一開口講的竟全是國語。當然，那些外國人講的並不是國語，國語不過是配上去的。電影商以為這樣做很聰明，讓聽不懂外國話的人都聽懂了。可是那模樣兒，才叫人哭笑不得，嘴巴不對勁不去說它，所有卷頭髮棕眼睛的人全都說起國語來，叫我們不知當他們是甚麼人辦才好。

在電影上，言語是十分重要的。英國人說話個個字咬音清脆，美國人說話喜歡伊伊啞啞拉長了，法國人說的話字尾字〔頭〕音連起來自有一種節奏，意大利語強調 O 字，沉着有力，日本話又是男子有男子的粗豪，女子有女子的細軟，那些「蘇地是」、「那泥」，很富民族風，就像國語和廣東話也各有各的神韻，在銀幕上我們常常喜歡的明星，多半還是由於他們的語言有他們的〔徵〕象，像占士奧臣、羅蘭士奧里花的標準英國音，尊榮、占士史超域的美國土音，蘇菲亞羅蘭的意大利音，碧姬芭鐸、李絲莉嘉儂的法國音，李〔湖〕王萊的國音，梁醒波的廣東音，都是非常非常可愛的，如果沒有了〔這〕些聲音，電影的效果要打一個極大的折扣。所以，一個電影，如果可能的話，最好還是保留原來的方言，這樣才能配合原來的人物、風土和習俗。

最近看了一部日本片，配上了英語，映上了中文字幕，懂英語的根本不必看字幕，要看字幕的人根本也管不着對白是英語和日語了。其實，日語的抑揚頓挫在日片中收很大的效果，尤其是打鬥時的吆喝，很神氣，如果棄日語而配上英語對白，實在是錯錯錯。

西西（一九六四年八月三十一日）

二十九

這裏說過，電影所以給人發現，是兩個人在爭論馬跑的時候馬蹄離不離地的問題而起的。到了一九〇二年的時候，那個叫做馬里的人弄了古古怪怪的魔術般的場面，還拍過些水底鏡頭，那時的電影很賣座。到了一九〇三年，電影已經很了不起了，因為那時的電影已經可以放映十二分鐘。同年，美國愛迪生片場還拍了一部《火車大劫案》，是有電影史以來的第一部西部片，內容有犯罪、追蹤、捕獲這樣的情節，從此，電影便開始有了「內容」。

有了「內容」以後，除了西部片的打打殺殺，另外又有了短的恐怖片、愛情片，並且有文學改編搬上銀幕。但是電影彷彿還缺少了一些東西。那東西可不是攝影，因為攝影已經很不錯了；那東西也不是故事，因為故事已經很完整了。原來缺少的東西就是電影的「文法」。

我們曾經提出過好多次，電影是有一套電影的東西的，一般人喜歡稱蒙太奇，銀幕建築學，導演 ABC 之類，但真正重要的卻是電影的文法。當時的電影所以不夠好，所以缺乏了一些東西，就完全是因為少了文法。一部電影看起來好像並沒有標點符號，就是一連串的故事一直敘述下去，沒有停止，沒有驚歎號或誇張的地方。而這，是因為導演的不過是在做交通警察，他的工作不過是叫攝影的如何取角度，演員的如何演，然後舉手開始，擺手停。他不過是交通警察一名而已。他那裏是在替電影加上標點符號呀。一九〇三年時的電影缺乏電影文法的。

而這時，有一個人把電影文法帶來了。

西西（一九六四年九月一日）

三十

我們現在要講一個人。先記着他的名字。

David Wark Griffith ——格列菲斯。當美國初期的電影全是在講故事般地講時，這個人，是他把電影的文法帶到影壇上來的，也是這個人，把「電影小說」變成了「電影藝術」。他製的電影，到今天還屹立而不朽。甚至我們現在看到的許多電影，其中都多多少少源自格列菲斯的。當時，即是一九〇五年左右，美國一共有三家電影製片公司，他們雖然稱為電影公司，現在看來是十分落後的，因為他們不過是製了些十分鐘長的畫片而已。但三家公司的生意着實不錯，他們的名字是愛迪生、維塔格拉夫和拜奧格拉夫。[1] 而格列菲斯卻是拜奧格拉夫公司的一名演員，他是不曾做過導演的。一天，公司忽然找他去製一部片，他根本對拍電影一無興趣，但是別人勸了他半天，他居然在關於電影的知識一無所知下極不願意地導演了一部片，就是他的第一部作品《杜麗歷險記》，但在該片中，格列菲斯卻顯出了他的才能。故事很簡單，說一個小女孩給吉普賽人搶了去，放在木桶中，木桶跌落河裏，經過瀑布而無恙回到雙親那裏去。格列菲斯拍這片時廢棄了默片中慣用的字幕解釋，並且把一切活動放在戶外攝，場與場之間非常短，動作非常迅速，結果，他的成績卻比拍了五六年電影的老將還要好。於是，拜奧格拉夫公司勸他繼續導演電影，格列菲斯也由於漸漸對電影產生了好感而留了下來。

---

1 即 Edison、Vitagraph 及 Biograph，均為二十世紀初的美國製片公司。

在當時的三大電影公司中，拜奧格拉夫的規模是最小的，但結果，成就還比其他的二間為大。

西西（一九六四年九月二日）

三十一

我們依然講格列菲斯，因為這個人是很重要的，而且我們要講許多關於格列菲斯的事。將來有機會的時候，每隔一個短時期，我們再介紹一些其他的電影藝術家。

在廿世紀的初年，製片是一件簡單的事，決不像現在那麼工程浩大，因此許多電影公司都可以自由發展，紛紛成立，當電影製成之後（通常是可以放映十二分鐘的一卷），公司就登一段廣告，然後直接賣給放映商，價錢是一呎呎計算的。而那膠片就屬於買者了，也沒有所謂版權之類的法律限制。只要放映商高興，可以把影片放映了再放，直放到不可再用為止。（現在的影片都不是買的，而是租的，租期滿了就要交還。）關於版權甚麼的，卻要到一九一二年才實行。所〔以〕當時有許多放映商買到了好影片，自己弄了些副本再賣出去賺錢。

格列菲斯是一九〇八年拍第一部片的，在一年中，他已經明白了電影的技能，因此便開始把自己的想像放進電影中。在一九〇九年，他製了兩部片，其中一部是非常出色的《麥中一角》。是講一個麥商壟斷市場的情形，結局時那個經濟富足的商人在一桶麥中淹死了，貧窮的農民卻絕望地面對未來。格列菲斯花了十整天時間拍這部電影，而在三十年代時，一部放映一小時的西部片也不過需要三天時間就可拍完。另外一部片是《寂靜的別墅》，這部片是瑪莉碧馥演的第一部電影，後來她成了默片的紅星。在這片中，格列菲斯在剪輯與交接場景上下了一番苦工，使電影又多了一番新面目。

西西（一九六四年九月三日）

三十二

格列菲斯的《寂靜的別墅》中用的剪接是這樣的：

一家人正和父親道別。這時，一群賊正在等待着準備進屋行動。父親離開了。賊走近了。其中一個賊把父親留下給家人防衛的槍弄掉了子彈。當賊進入屋中時，母親及三個女兒躲進房中。房門被打開時，被困的家人逃入另一房中。這時，父親的車壞了，他停在客店前，進去打電話回家，她哪來得及告訴他有賊來了，電話給賊切斷了。賊們在催逼。父親在焦急，車修不好，他找到了一名吉普賽人。他雇了馬和蓬車，帶了警察回家拯救。

在這情況之下，整個電影迅速加快了，格列菲斯把鏡頭移動在驚恐的婦人和蓬車之間，當賊闖進房中時，拯救的人也抵達了。這個電影是充滿了標點符號的，很簡單的故事，但由於剪接得好，看起來叫人非常心急，當然，像這樣的鏡頭我們現在早已看慣了，但必需想想，那時是一九〇九年，而那種剪接方法是從來沒有人嘗試過的。

我們看《夢斷城西》時，兩夥人大決鬥之前，鏡頭不斷分別描寫東尼、瑪利亞、彼納多，這就是格列菲斯創造的剪接法。

我們看的《妲己》，這邊廂烽煙四起，姬發帶了民兵直逼王城，而那邊廂，紂王和妲己還在摘星樓內歌舞行樂，於是鏡頭不斷地「花開兩朵，話分二頭」地描寫這邊的戰爭，那邊的荒淫無道，就是格列菲斯給我們最好的遺產之一。而這樣的剪接才是電影的文法，試想想，舞台上如何可以演得出呢。

西西（一九六四年九月四日）

三十三

格列菲斯是一個很有理想很有想像力的人，但是光有一個他是沒有用的。格列菲斯的導演的作品所以出色，還靠了一個人的幫助，那個人是一名優秀的主攝影手，比利比利。是他，使格列菲斯的電影的畫面清新可愛起來的，而且美得很。比利比利也是屬於拜奧格拉夫公司的。當時，美國的三家大電影公司都〔在〕紐約。因此，當我們講美國電影時，我們一直把美國東岸作為美國的電影中心。（現在荷里活名氣雖響，但真正的優秀的美國電影還是在紐約，那裏的一群青年電影愛好者正在努力，且和荷里活走相反的路，被稱為美國的新電影群。〔此〕外，美國的比尼克青年也拍一些絕對主觀的作品，並不公開放映。觀眾都進入一間房中看，房中不設座位，因為銀幕上放映一列火車衝來，觀眾可以自動向四面逃去。）

到了一九一二年，格列菲斯重拍了他的一部一年前的舊作《女孩及其受託人》。這個受託人是要救那女孩子，因為有一群賊要搶她錢。電影中的英雄是坐車去救她的，這次，格列菲斯把攝影機裝在汽車上，和一條鐵軌平行駕駛，就把英雄坐車緊追的緊急情態拍了出來。（那英雄坐的車，是像《八十日環遊世界》中的一輛在鐵軌上滑的車相仿。）於是追賊的速度在銀幕上加快了許多。我們看《朱門蕩母》中安東尼柏堅斯飛車那樣的鏡頭，就是格列菲斯在一九一二年製出來的。而這種鏡頭，在美國還是要到一九二〇年之後才風行起來。不過，格列菲斯並不是一天到晚在追賊中動腦筋，他還有別的才賦。

西西（一九六四年九月五日）

三十四

格列菲斯是很悶的，因為一切偉大甚至偉小的人物的事都是悶的，就像《靈肉思春》這樣的名字才叫人不悶一般。現在我們把悶的放一放開，說說不悶的《靈肉思春》。誰都知道，這部片本來叫做《伊古安娜之夜》，正確的說法是《大蜥蜴之夜》或者有人喜歡則稱為「伊（伊莉莎伯泰萊）李（李察波頓）安（蘇麗安）娜（阿娃嘉娜）之夜」，雖然，依莉莎伯泰萊和該片是風馬牛不相干而和李察波頓的風流馬屁牛脾氣相干。這部片到了香港，像這樣的一部片該譯做甚麼呢？當然要有一個堂而皇之的名字，其實應該是一個香艷刺激的名字，就像碧姬芭鐸的可以譯尤物，史超域格蘭加的可以譯作神龍，柯德莉夏萍的可以譯作良緣。因為香港，一部片名可以「騙」許多的觀眾，吸引許多的人。那麼《大蜥蜴之夜》就不能譯作《大蜥蜴之夜》（可怕又毫沒電影眼光），也不會有《菲特娜》譯作《菲特娜》的膽量。（《朱門蕩母》總會像《痴漢淫娃》般可愛的吧？票房的可愛。）

「靈肉」吧。那是最夠吸引力的了，因為那兩個字可以包括一個蘇麗安和一個阿娃嘉娜；那麼「思凡」實在可以包括了狄波拉加。但是電檢處還是不知道甚麼處署部局之類的大老爺認為「靈肉思凡」那凡字太黃色，要改。改甚麼呢，「春」。大老爺認為「春」字真好，沒有凡字那麼黃了。想起來，「春」字實在及不上凡字那麼平凡無味吧。

於是乎，《靈肉思春》大老爺御定〔鑒〕定閱定審定。這個名字着實精彩，從 S B Yellow 一變而為 Surer Yellow。何黃之有，子曰。

西西（一九六四年九月七日）

轟動影壇
皇后
麗聲
皇都
美高梅公司又一偉大貢獻
靈肉思春
情可了，孽緣不可了！
表情細膩刻劃入微！
李察波頓
阿娃加娜
狄波拉加
蘇麗安
THE NIGHT OF THE IGUANA

利舞台
樂宮
下期推出，又一巨片
朱門蕩婦
PHAEDRA
安東尼蒲堅士
米蓮娜麥高麗
羅夫華倫

三十五

去了一次澳門，留下三個印象，賭場，跑狗場和三輪車。這三樣東西香港都沒有。但給我印象最深的絕不是賭場，賭場裏面人多多，吃角子老虎嘩啦啦地響，這一邊「開」字那小姐叫得怪裏怪氣，那一邊賭廿一點的高注的一台上，一位小姐一出手押二千元籌碼，還在鄰座輕輕鬆鬆地放上一個一千元的籌碼，在這裏面，錢算得甚麼，所有人的幾乎都是一個樣子。跑狗場裏的人也是只有一種樣子，把錢向收銀處堆，然後在狗跑的時候亂跳。這些鏡頭都很真實，但是彷彿全在甚麼地方見過似的。賭場，甚麼《械劫銷金窩》、《銷金窩大劫案》裏見得多了，人家的賭場規模更大，賭狗兇，和馬差不了多少，那種緊急的鏡頭也見得多了，但似乎，我們所見的三輪車在銀幕少，實在極少。荷里活的、歐洲的銀幕都沒有，我們為甚麼不描寫一個三輪車夫的一天呢？在香港可以描寫人力車夫，描寫他們無聊又心急地在碼頭排成一列，然後用粗劣的英語對遊客招徠，於是一架車坐上二百磅重的人，車夫就流汗地拉。中國的影片上是出現過人力車的，甚至新馬仔拉車仔我們也見過了，但我們還沒能真正地把握這個主題，還沒有抽取出來獨立表現過。這些是中國的，難道我們一天到晚學人家拍夜總會，大汽車，而想不到拍人家所沒有的人力車，寫信佬，大牌檔嗎？我們並不是要訴自己的貧窮，而是表現現實的事實。在這個時候，我們已經說過，我們還沒法走法國和瑞典的電影路線，實在應該以意大利的新寫實主義和日本的民族風為範。

西西（一九六四年九月八日）

三十六

可以這樣說，把電影當作一種藝術標準去批評的人是一種形式主義的人。把電影當作一種文學或故事為基礎去批評的人是一種內容主義的人。依我看，從電影來說，形式比內容稍重些。形式極好，內容稍遜（像《三野狼》）仍不失是一部好電影，但內容極好，形式稍遜（像《靈肉思春》）就稱不上是好電影了。當然形式和內容都是重要的，比例方面卻有點不同，形式和內容五比五當然佳，如果不可能的，應該是六比四的形式佔強，絕不是四比六的內容佔先。（有許多人會反對我的說法是必然的。）

《釋迦》的內容豈不偉大，是講述聖者的一生，其中不乏許多可歌可泣的事跡，可吟可誦的名句，但是因為以電影的形式表現得差，就沒有甚麼電影價值了。「妲己」是個名女人，不管歷史家、編劇把她變成甚麼樣子，妲己決比不上釋迦（論「偉大」方面），可是，照電影的表現方式，《妲己》遠比《釋迦》上乘。因為《妲己》的電影味比《釋迦》濃，那一兩下的《夢斷城西》式的拉鏡頭，《聖袍千秋》式的長蛇陣，雖然模仿別人很露痕跡，但這些□竟是電影手法。《碧血千秋》才是五五〔的〕形式內容平分。

光畫一幅畫吧。□心裏的印象雖然甚□其偉大，但你的手沒法表現出來又如何？你是博學的大學教授，但你不會教書。你有滿肚子的詩情詩緒，但吟不出半句像樣的詩來。這是甚麼緣故？技巧之不成熟，形式操縱不自如吧了。形式的確是技巧，技巧實在是自然的加工，自然的加工不就是藝術了麼？（要說起來可就長極了，還是打住。）

西西（一九六四年九月九日）

三十七

李察波頓到底是個演員。他演戲演得好是事實。他演戲演得好不好實在和他的私生活道不道德不相干。早些日子，英美的人都排斥他，當他到倫敦，和依莉沙白泰萊同行演《名流怨婦》時，他倆都沒離婚，一個是有太太的，一個是有丈夫的，結果，李察波頓被人打腫了一隻眼。影迷就是這樣可恨的。

有時候，舞台上的一個反角會被台下的觀眾跑上去一刀殺死。觀眾就是這樣的一種有時全不講理的動物。英格列褒曼也很會演戲，是和李察波頓一樣也是一個好演員，但是，她拋棄了丈夫孩子，和羅沙里厄一起去了意大利，就此一去不回，一去再嫁。影迷便憤怒起來了。影迷喜歡把明星當作偶像，偶像總是十分之十完美的，既不能做錯事，更不能做違背道德的事，如果做了，這是不對。而全世界街上許許多多的人都是很不道德，做不對的事，卻從沒有甚麼閒人去理會他們。可見成名到底不是好玩的事。林黛是一個明星，影迷們把林黛當作偶像，因此要干涉別人的丈夫，干涉別人的私事，而影迷就是這樣不講理的。

作為一個影迷，實在應該把一個明星的私生活和他的演技分開，像占士美臣，羅蘭士奧麗花，他們都離了婚，但他們的演技不是頂上乘的嗎？演員也是一個人，人生有人的生活方式的，別以為一做了紅星，就是銀幕上的典型的好人。相反來說，銀幕上的壞人，卻常常是銀幕下的「好人」喔。

西西（一九六四年九月十日）

三十八

《夢斷城西》開幕時，那一列大廈的天台是怎樣攝影的呢？大家都很容易知道，因為只要坐一架飛機上去向地面直拍就行了。

電影中的還原動作是如何拍攝的呢？這也容易，只要把菲林依本來的123的次序倒成為321就行了。電影中的中心人物清清楚楚，旁邊的人物模模糊糊又是怎樣拍的呢？這也不難，用一塊磨砂玻璃把要模糊的場面在拍攝時掩着鏡頭就行了。電影可以說是很可愛的，可以有許多古古怪怪的場面出現。所以，攝影就成了電影藝術中一項重要的工作。

我們看見電影中常有的鏡子的出現，鏡子是電影中拍攝起來比較麻煩的。一個人對正了鏡子，但是我們居然看不到攝影機對正了鏡子。這就是拍攝的本領了。

你會拍照嗎？你會拍一面很圓很圓的鏡子嗎？當你想拍攝一面圓鏡時，你一定拿了相機對準了鏡子，〔但〕是，很對不起，你拍出來的圓鏡裏面居然有你這位大攝影師在內拿了一架攝影機。如果你站在圓鏡的一邊拍，那麼，又對不起，你拍出來的圓鏡並不聽你的話而變成了扁鏡，橢圓形的鏡。那麼，當你下次看電影時，你就要佩服一下攝影師的本領了，或者也應該是導演的本領，因為電影絕不是一個故事、一批演員、一些佈景，加些配音就可以成為第八藝術的哩。

拍車輪是吃力不討好的，因為透過攝影機，車輪會倒退，使人覺得滑稽，這一點，攝影機才要甘拜下風。

西西（一九六四年九月十二日）

三十九

看電影是十分開心的。看電影並不是叫你被故事迷住了去看才開心，而是你隨時清醒着看才開心。不管你看的電影是好看的或不好看的，你仍然可以用一種你自己的方法去娛樂自己。

例如看《朱門蕩母》吧，安東尼柏堅斯彈一下琴，你看清楚是他自己的手彈呢，還是聲音呢？起初，是他自己用手叮了兩下單音，然後，只看見他手臂在動，鋼琴把他的雙手遮住了。不用說，安東尼柏堅斯不〔會〕彈琴。狄賓嘉第就不同，他會彈，在《一曲相思未了情》中他是自己彈的。

再例如大明星如何進汽車吧，有的是頭先進，有的是足先進，有的是屁股先進，這些小動作都是很有趣的，有時候你一個人看電影可以哈哈地笑上大半天，而旁邊的朋友都不知道你是否瘋了，可能她正因為是悲劇而哭紅了眼睛。

試試把整個銀幕當作一個畫框，然後一面看，一面自己把放映的電影當作一幅幅畫去批評，這幅畫行嗎，好看嗎，這樣，你以為你是做甚麼呢？你就是導演啦，你就是在着手研究蒙太奇了。蒙太奇其實並不是甚麼大不了的東西，照□古老的來源，一些法國畫家把一幅畫的內容如何放□進鏡框，就叫做蒙太奇。再舉一個例吧，在電影銀幕上，如果有一個人走到門那裏去，你就心裏數數一二三，很奇怪，你沒數到三，那人已經到了門邊開門了，於是你回家後自己走走吧，數到七可能還沒走到門邊呢，看，電影是生活，但必定不是活生生的活生活，而是一種藝術。這很簡單，這種就叫做時間的濃縮而已。

西西（一九六四年九月十三日）

四十

看電影要看顏色。

如果是黑白片，就要注意黑和白的對比強烈不強烈。

《朱門蕩母》的黑白運用得叫人敬佩不已，安東尼柏堅斯下過三次石梯，連換三種服裝，白衫黑袴，白袴黑衫，黑衫黑袴，這不但是收畫面之色彩美，還暗示不是同一天，同一時刻走下石梯。在電影中，不同時間的走石梯卻在一場中一起表現了。

如果是彩色片，要看各顏色的配合和不和諧。伊士曼彩色以藍色為主，最難配。不去說它。《妲己》的顏色配得好，以黑白為主，以金作副，顏色片中的灰可以強調古典，如羅馬的和埃及的牆壁都是。金是帝皇的，紫色是外國帝皇的。《妲己》中黑白對得好，但似乎從頭到尾都用這種宮殿顏色，是否古代的確如此而已，中國人一向不愛白色，宮女都是白也許有點忌吧。後來那些起義和兵穿了紅衣，好看是好看，卻有點滑稽，片中全部淡色，忽然來了一片紅軍服。（姬發的頭盔頗像花木蘭的，不知是否廢物利用或一物兩用。）

拍彩色片，稻垣浩很有一手，尤其是描寫山光水色。《夢斷城西》中，佐治查胡里斯的一件紫襯衫特別搶眼，非常難得，列打莫蘭奴在服裝店穿橙色衣服，特別以襯托她的黑皮膚而收獨立感覺，好。

黑白片拍出了土地氣味的是《偷渡金山》，開始時那座冰山、那原野，真是廣闊得緊。《牧野梟獍》由黃宗霑取景，也是黑白得勝人一籌。

西西（一九六四年九月十四日）

四十一

看電影還有許多東西可看。

電影一放映時，你就看看那個銀幕的光的邊緣有多大，如果是四四方方的，這就是小銀幕。如果是個很大的長方形，長得不很厲害，這就是全景大銀幕。如果是長得很厲害，這就是新藝綜合體。

你有沒有想一想，為甚麼銀幕都是橫形的呢？為甚麼從沒有一個銀幕是直的呢？（其實應該有個人拍一部直銀幕試試。）這樣吧，試想想，如果有一個直銀幕，又狹又直，可以表現一個人的高度，屋子的高度，卻不能表現一大片平原，也不能表現廣闊的視野，好像每一樣東西都給切掉了兩端，只剩下中間的一截，這結果，一定會把人弄昏的。偶然一兩幅這樣的畫面可以吸引別人的視線，但數百幅的逼着你看，就悶死了。況且，到那裏才可以找一個具有非常的才能的攝影師去剪取這樣的絕好的鏡頭？地球上的景物都以橫為主，馬路、廣場、地板都是，如果要用直形銀幕，相信只好一天到晚拍摩天大廈、電梯和火箭了。

新藝綜合體並不完美，因為橫得太長，好像畢業相片那樣橫橫的全是人。最好的銀幕形體還是長方形，方方的可以隨意變換。如果我們用兩張畫紙畫上一個新藝綜合體的形狀就知道了，在那個長狹形的方格裏，如果再加些橫線的結果就是越弄越扁越長，如果畫些直線才好看，但直線一多，就把畫面分成好幾份，好像七湊八湊而不完整了。長方形的全景大銀幕就不會被分成幾份，一看上去是完整些，就可愛了。

西西（一九六四年九月十五日）

四十二

現在，再回來講幾天格列菲斯。有人說格列菲斯實在算不得是偉大的人物，他是一個技師而已，他不過是在把電影弄得古古怪怪。其實，偉大有兩種，一種是承受傳統而發揮的，一種是自己獨立創新的，格列菲斯是後者，且不管他偉大不偉大，這是美國電影史上的第一號要人。格列菲斯還拍過文學改編的電影，把〔查爾斯〕．狄更斯的作品搬上銀幕去，也針對醉酒、吸毒的害處攻擊過。瑪莉碧馥所以大大地成了名，就是因為格列菲斯教她的，他教她演垂着睫毛，咬緊嘴唇，於是他把攝影機拉到她面前去拍，這樣，人家便稱他是攝影思想，當然格列菲斯就是懂得利用攝影機攝影思想的第一個美國人，他所做的就是目前我們稱做特寫、大特寫相同的手法。

本來，我們已經說過，美國的電影是在紐約東岸起源的，格列菲斯就是在紐約的導演，到了一九一〇年，他心血來潮，認為加里福尼亞的氣候最適〔合〕於拍電影，於是拉大隊把自己的一夥人全搬去了。結果，他弄了幾部了不起的西部片，一部是《最後的一滴水》，一部是《戰鬥血》，也有《大屠殺》和《艾堡之戰》，都是紅番和騎兵大戰片，但都很出色。場面已經很偉大，有到最後數分鐘救兵才趕到的驚險緊張情節，動作多過一切及有大特寫。今日看來這些似乎都很古老，但當時是非常了不起的。格列菲斯在那裏弄弄導導時，美國的一些導演都學他的模樣了。因為他實在是太前衛了，除了少數和他一起工作的人外，幾乎沒有跟得上，可以和他比。但卻有一個人是他的電影上的大敵人。

西西（一九六四年九月十六日）

四十三

格列菲斯的唯一的大敵人就是湯瑪士・印斯，這個人是當時的一個重要的製片，也是演員出身，搞呀搞的就變了導演起來。印斯最拿手拍西部片和內戰，他和格列菲斯是背道而馳的。格列菲斯是不太注意故事內容的，注意電影的風格和創造技巧，故事的線索最簡單。印斯卻相反，他是不理會剪輯的，只要故事，人物個個性格分明，像舞台上演出一般，所以，他處理的戰事，場面可觀和人物動人是出色的，他尤其在結局時喜歡來一下驚人之筆，有些電影會突然悲劇終場，刺激一下觀眾，有時是故意要以悲劇結束，彷彿這才是夠戲劇味似的。不過，觀眾是毫不在乎的，當時的電影很短，觀眾根本還沒時間去培養對劇中人發生感情，而且明星制度也還沒誕生，觀眾對銀幕上要求只是搖動和熱鬧。死人或不死人一點也無所謂，也不會感到甚麼悲呀、可憐呀等等。印斯實在已經提高了電影的水準，因為他已經懂得在結局時來一下「突變」，就是希治閣喜歡的三部曲之一（突變，懸疑和恐嚇）。但是可惜印斯有才氣沒進步，他的電影由一九一〇年至一九一三年都是一個樣子的，反而是格列菲斯的倒部部不同。而到了一九一三年後，印斯索性不導了，只做做顧問，教教新導演而以專家自居起來，還把他請來的導演導〔出〕來的片子一律印上了「印斯導演」的大字號。不過，他倒也因此創立了製片顧問制度，現在的片場中都有這樣的組織。

印斯在導演上還是功不可沒的功臣，他的劇本是很詳細的，拍片計劃一一列好，每一場都寫好，對木匠寫明建甚麼景，對攝影師寫明取甚麼角度，哪一場先拍，還對黑房說明用甚麼顏色深度。他的劇本上甚至還有對白。

西西（一九六四年九月十七日）

四十四

格列菲斯是不用劇本拍片的，奇怪的是，許多的大明星，大演員（不僅僅是偉大，還是好），卻從格列菲斯的手下成名，印斯的組織雖強，好演員就沒誕生幾個。到了一九〔二〕〇年，印斯就趕不上格列菲斯的成就，他只造就了兩個明星：威廉赫特和查里士〔雷〕，到了一九二〔四〕年，他就死了。

在一九一二年，電影史上出現了一件偉業，就是長度電影出現了，長度電影就是目前電影院放映的那些，不是半小時收科的短畫，不過誰也不敢說第一部最長電影是那一部，有人說是格列菲斯的《朱地英和白沙里亞》，有人說是〔施素〕杜美的《美洲人》。不過在這兩部片放映前一年，五卷或六卷長的電影已經很普遍了。這些電影都很糟，內容空洞，又拉長了演，兩卷菲林就可以演完了。電影〔進展〕並不好，彷彿抄襲舞台劇，既沒電影文法，也把格列菲斯的發明拋得一淨二乾。但觀眾的一樣不管，他們只要有長片看就滿足了。格列菲斯一看，唉，這樣下去不行，一是要拍些好的長度電影，要不然，電影事業就要完蛋了。他就求僱用他的老闆讓他拍長度電影，把自己的理想全〔放〕進去。電影公司也終答應了給他去弄一部四卷長的《朱地英和白沙里亞》，可是拍完後，公司卻害怕起來，不敢放映。其實那影片卻比同時期的長片要高級得多。格列菲斯覺得他的老闆拜奧格拉夫並不適合他，便離開了現在群星匯集的荷里活，帶了他的主要明星和攝影師比利一起跑掉。而那家拜奧格拉夫電影公司，沒了格列菲斯，勉強掙扎了幾年，便宣告了關門大吉。

西西（一九六四年九月十八日）

四十五

顏色片是許多人喜歡的。其實，顏色片的確是可愛的一種電影。例如顏色繽紛的《花都奇遇結良緣》；大家可以看到柯德莉夏萍的漂亮的衣服的顏色，看到巴黎夜晚的燈飾和河上風光，但是，顏色片往往叫我們跑進顏色裏，而忘記了黑白片和彩色片是各有各的長處，絕不是顏色的美麗就算數的。一般的人以為顏色多的就可以稱為好的彩色片，其實並不。有時候如果能〔誇張〕一下彩色的運用，電影的效果會使人感到出乎意外。

《花都喜相逢》用了彩色是對的，不但□顏色多多，而且還利用了顏色，使一頭胭脂狗變成了綠色。如果利用黑白來拍，最多白狗變黑狗，黑狗變白狗，及不上一頭綠狗那麼有趣。本來片中可以把狗染上紅的，或黃的藍的都行，導演的沒有，我們甚至在全片中找不到甚麼紅色，紅色□〔刺眼〕的，本片〔以〕柔和的藍為主，很有〔青春氣〕，如果是黑白片，這種氣氛是不夠濃了。

〔說〕到彩色的利用，《歡樂青春》開場時是黑白，大巴士開動時才從雨中轉了彩色，在《花木蘭》的片頭中，我們已經見到了，這些都是可取的。叫人印象最深的當然是《天國與地獄》中的那煙囪裏冒出來的紅煙，全片是黑白的，但那些煙卻是紅的，就電影手法來說，這實在是不合電影邏輯的，不過，黑澤明用了一下超現實主義的處理賣弄了一下本領，也算是他的腦袋不錯。黑澤明的敢作敢為的作風，也是使人佩服的。至於該片中應不應該出現彩色的煙，到現在還有人在爭執個不停。大家也自己可以批判一下。

西西（一九六四年九月十九日）

四十六

似乎，電影開始在結盟了。黑白片中插入彩色，彩色片中加入黑白，《好女十八嫁》、《花都喜相逢》中都有。聲片中加入默片，默片中放進聲音，電影是越來越〔擴張〕自己的領土了。因此，我在想，我們可以拍一部講一個患色盲的人的故事。這個人並不是盲，只是看不到顏色，因此在電影上出現時，凡是藉他的眼睛而看事物時，一切都是黑白的，其他的則經我們的眼睛看，是彩片的，像這樣的電影，很可以把黑白片和顏色片湊合一起。

因此，又想起了近日的一些電影廣告。在所有的廣告中，電影上的活動廣告是最進步的一種，那個沙龍香煙的便是把黑白和顏色的配合得極好的。起初是冬天，所以用了黑白，後來是春天，便用了淡淡的彩色。目前，黑白片實在比彩色片進步，因為黑白片的氣氛佳，但彩色片除了呈現顏色外，還未能做到強調、誇大上的利用。以愛倫坡的故事改編的一部電影上出現過以一片藍色來代表回憶，還是彩色片，而非顏色片，因為以劇情來說，回憶中的人物還是各有各的衣服髮色的不同的，但導演卻用了心智中的主觀彩色，這才是彩色片要進軍的一條路。

現在一般的彩色片都喜歡傳達世界上原來的顏色（這樣說其實也很不合邏輯）。就是我們眼中所見的顏色，但我們知道，每個人心中都可以看到一種色彩的，點彩派的畫家就以他們的眼睛見到的繪了出來，在銀幕上，我們就還沒能有過一點很有風格的彩色，像一幅高更的畫，或者瑪蒂斯那麼強烈的，如果〔做〕導演的〔夠〕果敢，他實在可以超脫這個世界去大膽嘗試，彩色片的路還長遠哩。反而黑白片似乎已經達到了頂峰了。

西西（一九六四年九月二十日）

四十七

一直在想，如果用粵語拍一部像《玉女風流》那樣的電影實在應該算是一個好主意。《玉女風流》有許多可愛的地方，那是因為題材特別，演員不必多，黑白，佈景現實，只要注意採用它的速度。梁醒波就可以演那種片。粵語片有一個好處，對白可愛。有時候看國語片不免感到文縐縐，不如粵語的爽快，以一種清脆易入耳的語言，配以高速的動作，拍一部不是復古的電影，是值得嘗試的。我常感到粵語片的一些明星比國語片的活，但國語片的攝製方面比粵語片好，這兩方面調劑一下，電影事業多少也會有點進步的。

國語片呢？我認為偵探片是可行的。我們看過不少偵探片、警匪片、案件片，就像熟讀了三百首唐詩，自己加以變化，不難會別創面目，日本又何嘗不拍偵探片，何嘗不學歐美，但至少有過《天國與地獄》。

許多傳記的人物都可以拍成電影，一部武訓如果拍得好，真可以上威尼斯去，從武訓的沿門托缽可以表現那個時代的大家小戶，再發展到教育事業，花不了多少本錢，也是十分道德的。

喜歡拍電影的人可以自己拿了機走到街上去拍「香港專輯」，剪接起來就是《非人生活》的電影，加上妙趣的旁白，外國人見了有趣，香港人自己看看也是一課專題。這，卻要不是電影公司的人自己去幹了，說不定，有一天，香港這地方會出現一群「九龍電影」的新潮。就像法國，他們有左岸和右岸。

西西（一九六四年九月二十一日）

四十八

格列菲斯離開了拜奧格拉夫電影公司後，便轉投另一家 Reliance-Majestic 公司，為了要還一點錢，他便在一年內盡量拍片把生活穩定起來，先把經濟鞏固再求改進。於是他導演了不少片子，急急忙忙趕了一部又一部，在這樣的情況下，要向格列菲斯找「結晶」是很難的，可是〔這〕個人居然越忙越有勁，拍出來的電影居然並不含糊，有一套由他指導下拍的《洋娃娃神〔秘〕屋》是其中最好的一部，還充分表現出格列菲斯的才華。此外，他還拍了一部愛倫坡式的電影，片中充滿了懸疑和恐怖，連希治閣也要佩服不已。但這些都不重要，最重要的是一九一五年和一九一六年，格列菲斯拿出了兩部他畢生最偉大的作品來，這兩部電影不但要列在格列菲斯的電影史中，還是美電影史中少不了的兩部著作，把這兩部電影介紹給人，就像把聖經介紹給人一般重要。因為這兩部電影實在是電影中的「聖經」。這兩部電影是《一國之誕生》和《不可容忍》。

《一國之誕生》這部片在上個月由這裏的電影協會在大會堂放映過了，因此，香港人並非完全沒看過這一部巨作。該片第一次是在洛杉磯放映，是一九一五年的二月八日。後來在三月三日又在紐約的自由劇院放映，觀眾都驚訝不已。因為這是美國有史以來最長的一部電影，一片放映三小時才完。而且該片的製作之佳，使以後的一些被認為偉大了不起的電影突然黯然無光。現在，我們講講這是一部怎麼樣的電影。

西西（一九六四年九月二十二日）

四十九

The Birth of a Nation。

這部《一國之誕生》是講美國的誕生，所以稱為「美國誕生」更為適合。全片是分為兩部分的，前半部講美國的歷史，一直到內戰為止，包括了李之投降，林肯之被刺，其中攝影了好幾場歷史上著名的戰爭。後半部複述南方的重建，北方工業家及政治家利用新獲自由的黑人在南方重新建立秩序。這部片是由私人支持拍成的，一共花了十一萬美元，在今日看，這筆數目真是小得很，但在一九一五年卻是一個大數目，尤其是拍一部片用這麼多的錢，誰也沒有把握去把它賺回來。而這部的成本比一般的電影多了五倍的成本，不過，由此可見格列菲斯對自己的工作的信心。有人以為格列菲斯瘋了，拍這麼長的片，又花這麼多錢，但是一夜之後，電影工業的遠景改變了，格列菲斯已經把電影小工業發展成為一種大事業。這部電影到處賣座，到了今年，這部電影一共賺了多少，實在已經沒法估計，該片還在到處放映，〔用〕最低的計算，該片已收入超過五千五百萬美元。觀眾對格列菲斯的技巧是大為讚賞的，他曾把一場戀愛的景拉到攝影機前來，當騎馬的人橫過銀幕時，他會把銀幕上下遮〔蓋〕掉而剩下中間一條橫形長條，活像今日的新藝綜合體，他會把相機拉得很後，拍攝全景長條畫式，或提□俯拍兵士的行列。他把攝影機裝在貨車上跟着馬一起跑了來拍，他會把劇情拉到高潮，然後緩和下來，再把場面緊張起來。故事本是很有戲劇性的，但人們一面、一面感到緊急刺激，卻不知為了甚麼緣故。

西西（一九六四年九月二十三日）

五十

「美國誕生」最重要的是觀眾是在接受電影的觀點了。對於政治上歷史上的爭論，他們都接受了電影的看法。觀眾一點也不自知他們看電影已經不是單純地娛樂，而是在接受一種教育。當然，不管戰爭是甚麼，發起的〔總〕是由兩方人，每一個問題都是有兩種看法的，格列菲斯卻站在南方這一邊，所以他拍出來的「美國誕生」便是替南方說話的，觀眾也無形中都對南方表示同情。（這就是我們今日作為一個觀眾實在不應被電影迷倒的一種警惕。）於是，有人對「美國誕生」一片起了不少評論。拍電影，或者□學創造，有時是可以把真理的另一面表現出來的，格列菲斯被談論得最多也是這方面。許多控告格列菲斯不根據事實的起訴者都失敗了，格列菲斯培育了反黑的情緒使他的這部歷史片有了偏見。控訴格列菲斯卑視黑人是可以的，但他絕不是仇視黑人的，在片中，他對黑人也很公平，把錯誤歸□白人政治家的身上。所以威爾遜總統（他寫過一〔部〕書《美國人的歷史》，格列菲斯拍「美國誕生」時在書中找了不少材料）在看過電影後說：「這些用光在寫歷史，我感到可惜的是事實都是那麼真確的。」實在，美國內戰的電影是沒有出現過，只有把片中的〔故〕事刪去，留下的便是一部美國內戰歷史的寫照了。

作為藝術，它是成功了，作為歷史，它是壯觀的。在別人來說，「美國誕生」是電影製作的最高峰，但在格列菲斯，「美國誕生」不過是他的事業的開始。

西西（一九六四年九月二十四日）

五十一

格列菲斯的另一部巨作是《不能容忍》。本來這部電影是叫做「母親和法律」的。[1] 這是一個頗為現代的劇本（在當時來說，是現代），說一個人錯誤〔地〕成了一名兇手。於是被社會圍攻他，認為他的罪行是「不能容忍」的，無可饒恕的。這時，格列菲斯的「美國誕生」剛好上映，許多觀眾誤解了他對黑人的看法，以為他是有種族歧見的一個人，其實，格列菲斯反對的是政治家的偏見。為了要表明他是為被誤解的，他決定把「母親和法律」一片延長、擴大，來表現有史以來許多不公平、被誤解的事情。而針對社會暴君、政治獨裁和偏見的宗教人士。

在「母親與法律」一片中，他加插了許多的歷史片斷，其中有巴比倫被波斯及塞魯斯傾滅，亦有法國〔的〕狄西之嘉芙蓮皇朝時之宗教壓迫，並且加插了基督被釘十字架。那些事件都是名符其實「不能容忍」的事。

這麼多的片斷，有新有舊，有現代有古老，格列菲斯卻把它們全搬在一起了。這些場面都是平行的，當年輕的母親（現代的故事）喪失了她的孩子時，鏡頭一轉，立刻轉到了基督被孩子們圍着（古老的故事），銀幕上打出了一列字：「讓小孩子到我這裏來。」但這不過是開頭。高潮卻在最後。現代的英雄被殺時，畫面一轉，放映巴比倫之滅亡，畫面一轉，放映聖巴塞羅〔米奧〕之屠殺，畫面一轉，

1 《不可容忍》原名的確為「母親與法律」（The Mother and the Law），但格列菲斯後於 1919 年重新剪輯《不可容忍》，另發行《母親與法律》一作。今談《母親與法律》多指 1919 年的重剪版本，為免混淆，本文以「母親與法律」標識《不可容忍》原名。

放映基督被釘十字架。電影的進行迅速在增加，一面拍戰車比賽，一面拍汽車飛馳，現代的故事和古代的故事交叉呈現，時空都混在一起了。

西西（一九六四年九月二十五日）

五十二

《不能容忍》是一部相當複雜的電影。就算是今日，電影上還沒有一部片是敢把現代故事加插古老故事的。（《好女十八嫁》中的那些根本就算不得甚麼。）我們稱讚《夢斷城西》決鬥前的交叉剪接，原來格列菲斯已經在《不能容忍》中發揮得相當透澈了。而且電影史上也着實沒有人把基督受難、巴比倫的滅亡、嘉芙連皇朝的大屠殺和一個現代的故事湊在一起過。直到一九六四年了，還沒有第二部類似的作品。我們常常稱現代的電影難懂，說是不合邏輯。格列菲斯的《不能容忍》豈非更不合邏輯？巴比倫和基督會搬在一起，戰車和汽車會先先後後地在銀幕上跑。

拍一部這麼複雜的電影，格列菲斯寫了甚麼樣的一個劇本呢，編的時候又花了多少時間呢？一點也沒有。格列菲斯是沒有劇本的。他甚麼也沒有編過，他把一切都放在肚子裏（實在是腦子裏），拍的時候才指指點點地說出來，這就是他叫人敬佩不已的本領。片中巴比倫的〔一〕場景是最好的，如果說壯觀，目前的一般壯觀片還遠及不上。因為格列菲斯用了人海戰術（比《風雲群英會》還厲害），而那些人並不是活動佈景板，每個人的臉上都有各種的表情，包括了恐懼、憤怒和絕望。因此，那些場面給人一種逼真的感覺。目前的壯觀片無論以場面偉大論，以個別表現論，都及不上這部多年前的巨作。

這部電影的影響是很大的，美國方面法列布尼〔傑〕和尊福都受了格列菲斯的廣博場面的影響。甚至蘇聯的愛森斯坦（這個人我們將來要特別介紹）和普杜夫金也不例外。

西西（一九六四年九月二十六日）

五十三

真是醜死人了。又不是做賊，何必到處偷東西呢？自己又不是沒飯沒米偏去搶人家的東西。

人家拍一部《劉三姐》，山歌可熱鬧了，你看我看的十分賣座，於是，我們就去偷去搶了，就弄了一部《山歌戀》。人家拍了一部《碧玉簪》，我們又去偷去搶，拍了一部《狀元及第》。總之好像自己窮死了，不偷不搶就活不下去似的。好吧，你上映《山歌戀》，人家就搬《劉三姐》出來。你上映《狀元及第》，人家就搬《碧玉簪》出來，人家總是照鏡子一般照着你，慚愧也慚愧死了。我是誰也不幫的，不〔管〕紅〔綠〕黑白、左右前後，但偷東西總是不對，何況家裏又不是有個八十歲的老母要扶養。

《紅樓夢》也是頭頭尾尾搬來的，這部電影實在像台灣的翻版書。但翻版書還有一個好處，就是價錢便宜。

《牛郎織女》快上映了，正宗的黃梅調，偷不偷呢？偷是偷過的，不正宗。與其偷，不如爽爽快快堂堂皇皇地唱〈不了情〉，甚至電台上的〈薔薇之戀〉。

實實在在的說，偷得照辦煮碗或者改頭改面不算上策，取人之長補己之短是沒有人會笑歪了嘴巴的。既然花那麼多的金錢，有那麼宏口的人力物力，為甚麼不好好地自己創作一下呢。水準的作品不去談它，最低限度，應該是創作。就像小學生作文，寫得不好無所謂，抄襲別人算甚麼好漢。此無他，和出貓沒有甚麼大分別。

西西（一九六四年九月二十七日）

五十四

羅馬正在拍攝《聖經》一片。羅蘭蒂斯當的製片，這是一部許多人演，許多人導，但卻是「七湊八湊」的一個整體。現在《亞當與夏娃》已經拍完了，是尊侯士頓導的演。這部片還沒人見過，不過罵的人可多了，因為據聖經上說，亞當和夏娃是裸體的，這部電影上的亞當和夏娃也是赤裸的。他們該不該這樣呢？這就是問題了。

其實問題倒不是該不該，是不是，好不好，藝術的表現各有方式，一個基督雖然有「典型」的樣子，但現代人如果活得像基督，能夠表現出基督的精神來，我們是可以把他當作基督的，中國人常常把基督畫成一個觀音一般，但精神上，「祂」仍是基督。

拍電影是要拍精神，外貌之傳真，只有副作用，其實，世上誰也沒有見過基督（現代人），基督有沒有鬍子倒還是一個問題。世上根本就壓根兒沒有見過亞當和夏娃，甚麼樣子，誰知道。穿不穿衣服也不是重要的問題。只要把聖經上的《創世紀》表現出來就行了。其實裸體也沒有甚麼大不了，要看觀眾怎樣。

大會堂舉行了一個「宗教畫作品展覽」，全是學生的作品，其中有一幅畫十分有趣，當然是一個小學生畫的，題材是亞當夏娃。小孩子心目中的亞當和夏娃是怎樣的呢？不錯，受過先入為主的觀念的緣故，亞當和夏娃都是赤裸的，夏娃拿了個紅蘋果，但有趣的是，亞當的頭髮和夏娃的一般長。這就重要了，的確，只准夏娃的頭髮長，不准亞當的頭髮也長麼。拍電影的如果有這種了不起的想像才真可喜哩。

西西（一九六四年九月二十八日）

五十五

一九一六年至一九二〇年之間是電影史上被談得最少的，本來這幾年的電影都十分□闊，但由於格里菲斯豎了一座里程碑之後，要找一些可以站出來給人評頭足評的好電影是找不到了。一般上說，說電影的人都喜歡由「美國誕生」一跳跳到一九一九年德國的電影《加里居拉博士之室》，然後跳到三十年代去。在那四年中，美國正在和德國開戰，因為敵國相隔得遠，美國在三千里外打這一場仗，國內的人都忙碌地〔賣〕戰時公債，替代男人派信，生活很夠□酸，使戰爭的恐怖消失得一乾二淨。電影上根本就沒有出現過真正的戰爭場面，反而着意描寫勞軍歌舞、露營□唱，不過，一部描寫戰爭的電影還是拍成了，那就是格里菲斯（又是他）的《世界之心》。片是在法國拍製的，在英國政府要求下製片。是一部實地拍攝的片，拍片時常常處於火線下，所以場面不能不說是逼真。如果這部片早些拍完，或者戰爭遲些結束，人們就可以見到戰爭的殘酷了，可惜，片剛拍好，戰爭卻結束了（可惜的當然不是戰爭的結束），人們都想忘記戰爭，所以不想看《世界之心》，因此，那部片並沒有流通放映過，看過的人數也實在很少。那是反戰的題材，到今日仍是有力的一部反戰片，但在一九一八年，並沒有人需要它。

這時，一般的電影都志在娛樂觀眾，不在教育觀眾，勸導觀眾，怎樣娛樂呢？滑稽吧，恐怖吧，最重要的還是「友善」吧。所謂「友善」就是投觀眾所好，觀眾喜歡明星，就給他們明星，明星制度便由此開始了。

西西（一九六四年九月二十九日）

五十六

我這個人，一個月買明星雜誌大概要買二三十本，包括了中中外外的，有日本的（因為日本的明星雜誌的圖片印刷得相當出色），有美國的（因為荷里活的明星實在有很多芝麻綠豆的小事發生，可以當三毫子小說看），有法國的（因為法國的明星雜誌的歐洲消息最快，而且那本 *Cinemonde* 是週刊，看電影消息是最好不過的了），然後有不少是香港的。只有香港的一兩本是有人贈送之外，其他的都要買，實在說，買這類是最不值的了。有錢的話實在可以買加繆的小說看看。

明星雜誌很多，但電影藝〔術〕的書籍可少了，尤其是香港，找來找去只得一本 *Films And Filming*，是英國出的，因為買的人多，書又少，常常找也找不到。至於美國出版的 *Cinema* 和 *Movie*，也是都有點分量的，一本叫做 *Sight And Sound* 的純電影季刊亦是值得一看，但這些書都要向外國訂，價值倒是十分可觀。

日本的《映畫之友》最好，有許多喜歡明星的女孩子都買了來看，那本書也實在比荷里活那種內容充實得多，照片也美麗得多了。他們搜集的資料的豐〔富〕也叫人佩服。這裏的《亞洲娛樂》的形式和《映畫之友》很相近，也是香港較佳的一份。但相去還遠。

由於看明星的相片看得多了，覺得近來這裏的一些明星口怪，翻開本本書，無論那一個女明星幾乎都是一模一樣的。雖然人不同，但臉上的化妝全一樣，尤其畫的眼線，全是一個模式。這實在不算聰明喔。看那個明星聰明，立刻換掉。

西西（一九六四年九月三十日）

五十七

這個時期的電影實在是非常有趣的。有一點是要說的，格里菲斯的時代是默片的時代，電影放映時是沒有聲音的，總之，就是很古老的。在默片中，如果有話要說，要用甚麼辦法呢？這個大家一定比我清楚，因為在《好女十八嫁》中和《風流劍客走天涯》中大家都看到了，就是：打字幕。好好的一個場面忽然一割，銀幕上出現了一列字，或者是一句成語，或者是一句對白，或者是說「五年後」，「怎麼辦呢？」這樣的句子。現在的一些電影，常常喜歡故意把那時代的打字幕特色搬上銀幕，也就是上次這裏說過「冇晒氣」的好處。

在一九一六年到二〇年，電影的技術已經發展得不錯了，電影機（Cine-Camera）的運用已經很順利。有許多人對默片有過一種誤解，當他們看一部默片時，見到銀幕上的人全在跳，好像聽了甚麼古怪的廣播音樂而不由自主地一個個跳了起來。我有個朋友汽車駕駛術甚〔差〕，大家就說他是默片表演。的確，在默片中，那些汽車也是跳跳達達的。事實上，就算是十八世紀吧，也沒有人走路像默片中一樣的，而默片中的跳，當然是電影的題材上的緣故。但是，讓我告訴你，一九二〇年前前後後放映的電影都是不跳的，銀幕上的景物和街上的一般正常，可是，在現在卻跳了起來。當時的電影，除了一些喜劇故意加速之外，普通的電影都和現在我們看的一樣，很正常。不過，當時用的電影機的速度和現在的不同，放映出來時，卻用了現在的放映機。現在的電影播放的速度實在比以前的快。

西西（一九六四年十月一日）

五十八

以前默片時代時，人物和動作不必配合聲音，所以速度可以慢些，後來，聲片發明了，人物的動作都必需和聲音相配合。電影的速度係增加了起來，放映的速度也增加了，那就是說，電影機一攝，就飛過了許多膠片。如果攝影機和放映機的速度相符，電影放出來很正常，但一般的戲院、電視台用的都是目前聲片的放映機，沒有人為了放一部默片而另裝一副古老的設備，於是，放映出來的人物便加起速度來，就像我們把唱片的速度□錯了，聽起來像電台的「小木偶」一般。

還有，默片時代，根本並沒有所謂的黑白片。大家仔細看的話，一定看得到默片都是有顏色的，這並不是說銀幕上有許多色彩，它們是〔有〕顏色，不是有色彩。一般的默片都是一種顏色，普通的是黃，或咖啡色，白天多數是這樣。以前，有過一部傑克倫敦的《珍妮之畫像》（約瑟歌頓和珍妮花鍾絲所演），末後一幕，就用了咖啡色。咖啡色是拍晴天和戶外，藍色拍夜晚，綠色拍霧，紅色拍火警。（所以，我贊成有人願意拍一部每場不同的顏色片，即每場用一種銀幕顏色，而不是許多色彩一齊出現在同一的場景上。這是很好的傳統遺產。）在默片中，如果有個人去開燈，那怎麼辦呢？是這樣，本來銀幕放出來是咖啡色，但那人一開燈，銀幕變了藍色。這實在是頂可愛的。默片時候，銀幕上也出現過兩種顏色的，一面是紅，一面是藍，就表現出了湖上日落的美景，格里菲斯和培納都用過這些技巧。

西西（一九六四年十月八日）

五十九

默片中其實也有很可愛的成就的。格里菲斯曾經在許多部片中動用色調，例如在有一部咖啡色作底色的電影中，他居然在女主角的臉上塗了一層粉紅色，這就是黑澤明拍的《天國與地獄》中那個煙囪冒紅煙的靈感來源了。所以，我們對黑澤明的創作態度和有取捨性的模仿的本領不得不另眼相看。

這時，電影的成本仍很低，製作也很快，聲片卻還早得很。因為電影中沒有對白，所以也省卻了寫對白的麻煩，劇本是很快就寫完了。當時，明星的薪酬也比現在的低得多，觀眾幾乎要看的就是電影本身，並不是甚麼明星，只不過，熟口熟面的明星，觀眾是歡迎的，卻並不是一定要看。由於劇本另寫，明星酬薪低，電影成本並不大，賺錢又是意料中的事，電影的事業便非常蓬勃，這一蓬勃，使電影犯不着競爭，只抵好片而不抵偉大的電影。

起初，電影上演的都是女人，彷彿女人正在爭取平等，後來過了二十年代，男人也在電影上普遍出現了。

看來，一九一六—二〇年的電影只是滑稽恐怖，娛樂觀眾卻沒甚麼價值，但是相反地說，它們也有優點。其中最重要的便是在當時的環境下訓練了不少導演和明星，到今天他們有許多還在工作。其次，由於那些電影都是集中在簡單的故事上，講鄉村題材，導演都是帶了相機到戶外去把美國的樣貌攝了回去，很寫實。這不但是一部電影，還是一部很好的歷史紀錄片，二十年代美國人的生活情形，電影上都記載着，比歷史書不知優勝了多少倍。現在的電影最有把握〔拍〕二十年代的題材也是由於這個緣故。

西西（一九六四年十月九日）

六十

也正是這個時期，一九一六—二〇年。荷里活的喜劇傳統開始了。就是那是美片的開始。差利卓別靈便是其中之一個。神經六也是這時期的產物。[1] 事實上，差利卓別靈在一九一七年製的片（他一直是自導自演）是他所有的電影中最好的。有一些明星的成就一直比不上這幾年，彷彿這幾年就是電影的黃金時代一般。像威廉赫德（他是導演牛仔片的）、德格拉斯法班斯（演羅賓漢著名）都是在一九二〇年以前當紅。（其他還有很多，因為不是編明星譜，所以不寫了。）都是男的，只有一個女的瑪莉碧馥最著名。我們母親那一代的人看過最多她的電影，也是她的影迷的又很多。當時的瑪莉碧馥也不過是「玉女」，不是婦人。

這時的格里菲斯在做甚麼呢？他的《不能容忍》因為不受歡迎（觀眾沒能力接受），所以賣座很慘，觀眾也不知電影要說的是甚麼。其實，如果當時格里菲斯把《不能容忍》分開，變為若干個古老故事、一個現代故事而拿去放映，一定會照樣滿座的，但格里菲斯沒有，觀眾也就不會看了。那部片的成本很重，在一九一六年時是兩百萬美元，直到一九三四年，格里菲斯的攝影名手比利估計如果要重新〔拍〕一部同樣的電影，成本會是一千五百萬美元。只不過多加了配音。再過十年，估計已是三千萬，到了現在，《埃及妖后》四千萬，《不能容忍》的成本是更加不可

1　神經六即哈羅德·勞埃德（Harold Clayton Lloyd），默片三大笑匠之一。

估計了。還得加上那麼貴的明星片酬，抽稅等等。而實在的，就算有錢，《不能容忍》仍是一部無法重製的巨作。

西西（一九六四年十月十日）

六十一

因為《不能容忍》虧了本，格列菲斯又拍了些不偉大但仍是上乘的電影，和拍《不能容忍》一般，他們帶了手提電影機到郊外〔去〕拍，結果拍了《真心的蘇絲》、《在家的女孩》和《快活谷羅曼史》，雖然及不上《不能容忍》，但都是佳作，尤其是裏面的美國生活，都給描寫得很詳細。不過，格列菲斯對那些電影感到不滿意，他認為那些是讓觀眾可以「殺死時間」的東西而已。

在這時候，大家都在求上進，差利卓別靈、瑪莉碧馥和法班斯三個人也沒有例外，因為三個人的錢財自由都有限，又受公司的限制，便一起組織了一個聯美公司。把資本注匯在一起，那在一九一九年。從這時起，電影已經從一個嬰孩長成為青年，又從童年進入成年期了。

從一九一五年以後，電影是相當〔熱〕鬧了。電影是越來越大，聲音也越來越近了。大明星都自組公司拍片，互不干涉。（所以當時的明星都有一種風格，因為自己是當的老板，要怎樣便怎樣，幾乎全是自導自演。）著名的導演都是受尊敬的，就算拍了貴片也不要緊，公司是不在乎的，像華納製片公司，拍的漂亮戲服的電影花了很多錢，但一個林丁丁（狗紅星）就可以全賺了回來。但二十年代以後，電影有了競爭，世界上有了收音機，製片的成本又在劇增，投資的銀行家和買方堅持要控制電影的製片以免投資有所損失。但最重要的是觀眾自己在變了。一些老兵從前線回來，對於以前那麼欣賞的電影一點也不感興趣了。甚至每個人在戰後都變了。

西西（一九六四年十月十一日）

附錄

電影及人物譯名

凡例

一、本附錄以中文筆劃序列書中影片名稱、人物姓名等，分為三個表格：「外語電影」、「華語電影」（包括國語片及粵語片）及「外國影人、作家、藝術家」；

二、各表盡量羅列原文提及的譯名，惟未收錄無從臆補的名稱；

三、「外語電影」、「華語電影」兩表盡量收錄同一影片的各種譯名，讀者可根據名稱筆劃或本書頁碼查索；倘譯名首字相同，並行排列，以斜線區分；

四、原文未用而兩岸三地公映、今日通用的中文片名，另列一欄，不論首字是否相同，均並行排列，以斜線區分；

五、「年份」指影片完成或首次在出品地的公映年份，或與香港首次公映年份有別；

六、「外國影人、作家、藝術家」表僅羅列原文提及的影人、作家及各類藝術家，不收錄各類作品的角色名稱；

七、單篇中僅有姓氏或名字簡稱，「外國影人、作家、藝術家」表按首字筆劃另列一行；倘單篇中已有人物全名，所有簡稱不予另列。

外語電影

中文片名	原名	英文片名
	一劃	
一夕風流恨事多	/	A Kind of Loving
一曲相思未了情	/	Song Without End
一國之誕生	/	The Birth of a Nation
	二劃	
八又二分一 / 八部半	8½	8½
八十日環遊世界	/	Around the World in 80 Days
十命冤魂	四谷怪談	Illusion of Blood
七俠四義	七人の侍	Seven Samurai
	三劃	
大刺客	侍	Samurai Assassin
女金剛勇破鑽石黨	/	Modesty Blaise
小姐與流氓	/	Lady and the Tramp
女孩及其受託人	/	The Girl and Her Trust
三野狼	Le glaive et la balance	Two Are Guilty
大屠殺	/	The Massacre
大蜥蜴之夜	/	The Night of the Iguana
	四劃	
五十萬人的遺產	五十万人の遺	Legacy of the 500,000
六三三機隊	/	633 Squadron
太太的苦悶	/	The Pumpkin Eater
不可容忍	/	Intolerance: Love's Struggle Through the Ages
火車大劫案	/	The Great Train Robbery
手車夫之戀	無法松の一生	The Rickshaw Man
天牢長恨	/	Birdman of Alcatraz
天涯一美人	La ragazza con la valigia	Girl with a Suitcase
太陽武者	/	Kings of the Sun
天國與地獄	天国と地獄	High and Low
切腹	切腹	Harakiri
幻想曲	/	Fantasia
	五劃	
玉女風流	/	One, Two, Three
永不在星期天	Pote tin Kyriaki	Never On Sunday

其他中文片名	年份	本書頁碼
一種愛意 / 一點愛意	1962	42, 168
無盡之歌	1960	188
一個國家的誕生 / 國家的誕生 / 重見光明 / 一民族之誕生	1915	201, 202
/	1963	65, 104, 105, 106, 107, 108
環遊世界八十天	1956	112, 181
四谷怪談	1965	127
七劍客 / 七武士	1954	22, 26, 43, 80
刺客 / 大武士	1965	127
女金剛勇鬥鑽石黨 / 女金剛智破鑽石案	1966	131
小姐與流浪漢	1955	14
女孩的託付 / 嬌娃護寶記	1912	181
/	1963	170, 185
/	1914	192
巨蜥一夜 / 伊古安娜之夜 / 巫山風雨夜 / 靈慾思春 / 靈肉思春	1964	34
五十萬人的遺產 / 一山還有一山高	1963	82
六三三敢死隊 / 六三三轟炸大隊 / 六三三轟炸隊	1964	118
吃南瓜的人 / 愛撒謊的人 / 養不起老婆的男人	1964	127
黨同伐異 / 忍無可忍	1916	201, 204
/	1903	176
手車伕之戀 / 無法松的一生	1958	22
阿爾卡特茲的養鳥人 / 終身犯	1962	14, 18, 42, 168
手提箱女郎 / 提箱麗人	1961	14, 18, 42, 43, 164
太陽王風虎雲龍 / 太陽王 / 風虎雲龍	1963	142
/	1963	12, 13, 43, 115, 142, 153, 167, 170, 197, 200, 214
剖腹	1962	141, 159
/	1940	156, 157
一、二、三	1961	14, 19, 113, 200
痴漢淫娃 / 痴漢嬌娃 / 決不要在星期日	1960	129

中文片名	原名	英文片名
正午幽魂	Le Mépris	Contempt
用心棒	ようじんぼう	Yojimbo
去年在馬倫巴 / 去年在馬倫堡	L'année dernière à Marienbad	Last Year at Marienbad
四百擊	Les quatre cents coups	The 400 Blows
加里居拉博士之室	Das Kabinett des Doktor Caligari	The Cabinet Of Dr. Caligari
可怖的伊凡	Иван Грозный	Ivan the Terrible
世界之心	/	Hearts of the World
弗洛伊特傳	/	Freud: The Secret Passion
古城春夢	Alexis Zobras	Zobra the Greek
生葬驚魂	/	The Premature Burial
六劃		
老人與海	/	The Old Man and the Sea
好女十八嫁	/	What a Way to Go!
伊古安娜之夜	/	The Night of the Iguana
血印	/	The Pawnbroke
朱地英和白沙里亞	/	Judith of Bethulia
同命鳥	名もなく貧しく美しく	Happiness of Us Alone
朱門蕩母	/	Phaedra
西城故事	/	West Side Story
名流怨婦	/	The V.I.P.S
血海亡魂	/	The Power and the Glory
在家的女孩	/	The Girl Who Stayed at Home
色情男女	/	The Knack and How to Get It
艾堡之戰	/	The Battle at Elderbush Gulch
沙漠梟雄	/	Lawrence of Arabia
七劃		
壯士千秋	/	Barabbas
快活谷羅曼史	/	A Romance of Happy Valley
貝保的女孩	La chica de Bube	Bebo's Girl
劫後昇平	/	Judgement at Nuremberg
杜麗歷險記	/	The Adventures of Dollie
八劃		
非人生活	Mondo Cane	Mondo Cane

中文片名	原名	英文片名
武士妖魔	大盜賊	Samurai in the Land of Witchery
夜生活	/	World by Night
夜半無人私語時	/	Pillow Talk
東京世運會	東京オリンピック	Tokyo Olympiad
虎俠	/	The Appaloosa
阿飛正傳	/	Rebel Without a Cause
金屋風波	黒い画集	The Lost Alibi
牧野梟獍	/	Hud
亞當與夏娃	/	The Bible: In the Beginning
怪談	かいだん	Kwaidan
性學奇醫	/	Freud: The Secret Passion
	九劃	
昨日今日明日	Ieri, oggi, domani	Yesterday Today and Tomorrow
穿心劍	椿三十郎	Sanjuro
軍令如山	/	The Hill
活色生香	La ronde	Circle of Love
春光乍洩	/	Blow-up
珍妮之畫像	/	Portrait of Jennie
流芳頌	生きる	Ikiru
美洲人	/	The Squaw Man
花都奇遇結良緣	/	Charade
洋娃娃神秘屋	/	The Doll House Mystery
陋室紅顏	/	The L-Shaped Room
苦海奇人	/	The Miracle Worker
花都喜相逢	/	Wild and Wonderful
風流劍客走天涯	/	Tom Jones
風流薄倖人	Landru	Blue Beard
怒海沉屍	Plein soleil	Purple Noon
風雲群英會	/	Spartacus
英雄榜	/	King Rat
飛渡關山奪寶戰	L'Homme de Rio	That Man from Rio
	十劃	
島	裸の島	The Naked Island
烈士忠魂	/	Behold a Pale Horse
通天大盜	/	Topkapi

其他中文片名	年份	本書頁碼
/	1963	46
世界夜生活	1961-1964	109
枕邊細語	1959	153
/	1965	109
阿巴盧薩 / 種馬 / 大西部	1966	131
無因的反叛 / 養子不教誰之過	1955	98
迷離情殺案 / 黑色畫集：上班族的證言	1960	170
原野鐵漢	1963	23, 33, 38, 42, 43, 190
天地創造 / 創世記	1966	208
奇談	1964	168
弗洛伊德 / 弗洛伊特傳	1962	20, 23

人海萬花筒	1963	67, 69, 127
大劍客 / 奪命劍	1962	82
山 / 山丘 / 山丘戰魂	1965	127
愛的循環 / 愛的圈子	1964	131
放大 / 春光乍現	1966	135
倩影淚痕	1948	213
生之慾 / 留芳頌	1952	143, 168, 170
紅妻白夫	1914	196
謎中謎 / 兒戲 / 啞謎	1963	197
/	1915	201
/	1962	42
奇跡締造者 / 海倫・凱勒 / 熱淚心聲	1962	34, 42, 43, 168
鴛鴦綺夢 / 鴛鴦奇談	1964	197, 198
湯姆・瓊斯 / 湯姆・瓊斯	1963	58, 111, 113, 142, 158, 212
藍鬍子	1963	127
陽光普照 / 太陽背面 / 紫色正午	1960	120, 121
斯巴達克斯 / 萬夫莫敵	1960	171, 206
黑獄梟雄 / 鼠王	1965	131
里奧追蹤	1964	109

裸島 / 裸之島	1960	142
十面埋伏擒蛟龍 / 看見一匹灰色馬	1964	131
土京盜寶記	1964	129

中文片名	原名	英文片名
狼之死	L'insoumis / La Mort du Loup	Have I the Right to Kill / The Unvanquished / The Death of the Wolf
埃及妖后	/	Cleopatra
真心的蘇絲	/	True Heart Susie
烈日當空	/	The High Bright Sun
師生戀	/	Term of Trial
飛行大競賽	/	Those Magnificent Men in Their Flying Machines
氣壯山河	/	The Pride and the Passion
恐怖的伊凡	Иван Грозный	Ivan the Terrible
留芳頌	生きる	Ikiru
窈窕淑女	/	My Fair Lady
氣蓋山河	Il Gattopardo	The Leopard
祖與占	Jules et Jim	Jules and Jim
十一劃		
鳥	/	The Birds
麥中一角	/	A Corner in Wheat
烽火流亡圖	Tutti a casa	Everybody Go Home
械劫銷金窩	Melodie en sous sol	Any Number Can Win
假面兇手	/	The List of Adrian Messenger
從香港來的人	Les tribulations d'un chinois en chine	Chinese Adventures in China
野草莓	Smultronstället	Wild Strawberries
偷渡金山	/	America, America
情場浪子	/	All Fall Down
寂靜的別墅	/	The Lonely Villa
野貓痴情	Vie privée	A Very Private Affair
十二劃		
黃色香車	/	The Yellow Rolls Royce
喋血凌霄閣	L'Insoumis / La Mort du Loup	Have I the Right to Kill / The Unvanquished / The Death of the Wolf
喋血街頭	/	Once a thief
勝利者	/	The Victors
尋金熱	/	The Gold Rush
最後的一滴水	/	The Last Drop of Water
黑俠恩仇	La Tulipe Noire	Black Tulip
菲特娜 / 菲特拉	/	Phaedra
港澳輪渡	/	Ferry to Hong Kong

其他中文片名	年份	本書頁碼
不屈的人／喋血凌霄閣	1964	121, 123
埃及艷后	1963	34, 171, 216
真心的蘇西	1919	218
特務特擊隊／驕陽	1964	118
落花流水春去也	1962	34
飛行世紀／飛行器中的好小夥	1965	125
／	1957	15
伊凡雷帝	1944, 1958	168
流芳頌／生之慾	1952	43
／	1964	67, 69, 74, 76, 109, 127
浩氣蓋山河	1963	15, 34, 43, 121
夏日之戀	1962	67
群鳥	1963	14, 74, 91
／	1909	179
烽火流亡圖／都回家去	1960	27
大小通吃	1963	121, 184
秘密殺人計劃書	1963	17, 20, 47
烏龍王大鬧香港	1965	59
楊梅樹下話當年	1957	90, 142, 168
亞美利加／美國，美國	1964	97, 138, 168, 190
／	1962	24, 97
孤獨的別墅	1909	179, 180
野貓癡情／私生活	1962	143
／	1964	67, 68, 69, 121
狼之死／不屈的人	1964	121, 123
午夜槍聲／凌晨槍聲	1965	75, 110, 121
／	1963	110, 164, 168
淘金記	1925	18
最後一滴水	1911	192
黑鬱金香／黑色鬱金香	1964	121
菲德拉／費德拉／朱門蕩母	1962	102, 103, 129, 182
／	1959	74

中文片名	原名	英文片名
	十三劃	
意大利式離婚	Divorzio all'italiana	Divorce - Italian Style
萬世英雄	/	El Cid
聖袍千秋	/	The Robe
運財童子	/	Dear Brigitte
痴情尤物	Le Repos du guerrier	Love on a Pillow
聖經	/	The Greatest Story Ever Told
萬種風流一俏傭	/	The Amorous Adventures Of Moll Flanders
痴漢淫娃	Pote tin Kyriaki	Never On Sunday
新聲震環宇	/	Almost Angels / Born to Sing
	十四劃	
蝕	L'eclisse	Eclipse
碧血千秋	/	Nine Hours to Rama
碧血長天	/	The Longest Day
瘋狂世界	/	It's a Mad Mad Mad World
瑪莉亞萬歲	Viva María!	Viva Maria
誘惑	Boccaccio '70	Boccaccio '70
奪魄神拳	がらくた	The Rabble
魂斷奈何天	/	The Diary of Anne Frank
夢斷城西	/	West Side Story
	十五劃	
廣告皇后	/	The Thrill of It All
銷金窩大劫案	/	Ocean's Eleven
廣島之戀	Hiroshima Mon Amour	Hiroshima My Love
慾望號街車	/	A Streetcar Named Desire
蝴蝶春夢	/	The Collector
碼頭風雲	/	On the Waterfront
	十六劃	
蕩母痴兒	/	East of Eden
戰地兩女性	La ciociara	Two Women
龍虎榜	/	The Great Escape
戰爭與和平	/	War and Peace
戰鬥血	/	Fighting Blood
龍鳳嬉春	/	A New Kind of Love

其他中文片名	年份	本書頁碼
/	1961	159
錫德 / 熙德 / 西德傳 / 聖劍	1961	171
聖袍	1953	185
/	1965	75
枕邊細語 / 春花秋月	1962	22, 26
萬世流芳 / 最偉大的故事	1965	208
弄情記	1965	127
痴漢嬌娃 / 決不要在星期日 / 永不在星期天	1960	182
新聲震寰宇 / 合拍小天使	1962	23, 26
慾海含羞花 / 情隔萬重山	1962	121
拉瑪九小時 / 九小時到拉曼	1963	170, 185
最長的一天 / 最長的一日	1962	15, 46, 64, 86, 110
/	1963	112, 127
江湖女間諜 / 萬歲瑪利亞 / 萬福瑪麗婭	1965	131
三艷嬉春 / 薄伽丘 70 年 / 薄伽丘七十年代	1962	114, 115, 116, 127
/	1964	73, 74
安妮日記	1959	86, 153
西區故事 / 西城故事	1961	16, 21, 24, 38, 42, 74, 86, 91, 111, 116, 140, 152, 168, 180, 185, 187, 190, 206
泡沫之戀	1963	34
十一羅漢	1960	184
廣島吾愛	1959	159, 168, 171
慾海奇女子 / 慾望街車	1951	97
收藏家	1965	131
在江邊 / 岸上風雲	1954	38, 97
伊甸園之東 / 伊甸之東 / 天倫夢境 / 天倫夢覺	1955	97
烽火母女淚 / 兩個女人	1960	67
大逃亡 / 第三集中營	1963	34
/	1956	145, 171, 174
/	1911	192
新戀愛經	1963	110

中文片名	原名	英文片名
	十七劃	
薄伽丘七十年代	Boccaccio '70	Boccaccio '70
	十九劃	
羅可兄弟	Rocco e i suoi fratelli	Rocco and His Brothers
羅生門	羅生門	Rashomon
關東十一俠	野盗風の中を走る	Bandits on the wind
	二十劃	
觸目驚心	/	Psycho
寶貝歷險記	/	101 Dalmatians
釋迦	釈迦	Buddha
警察與小偷	Guardie e ladri	Cops and Robbers
	二十一劃	
霸海奪金鐘	/	The Long Ships
露滴牡丹開	La Dolce Vita	The Sweet Life
蘭閨驚變	/	Whatever Happened to Baby Jane?
鐵蹄火海戰	/	The Four Days of Naples
	二十二劃	
歡樂青春	/	Summer Holiday
	二十三劃	
戀火融融	Vu du pont	A View From the Bridge
	二十四劃	
靈肉思春	/	The Night of the Iguana
讓那裏有光	/	Let There Be Light

其他中文片名	年份	本書頁碼
誘惑／三艷嬉春／薄伽丘 70 年	1962	104
洛可兄弟／洛克兄弟／羅科和他的兄弟	1960	121
/	1950	168
/	1961	22, 26
驚魂記	1960	24
101 斑點狗	1961	14
釋迦傳	1961	16, 25, 185
警察和強盜	1951	114
長船	1964	114
甜蜜生活／甜美的生活／甜蜜生活	1960	104
姐妹情仇／寶貝簡怎麼了	1962	42, 43
那不勒斯的四天	1962	15
熱情暑假	1963	197
橋下情仇	1962	42
靈慾思春／大蜥蜴之夜／巨蜥一夜／伊古安娜之夜／巫山風雨夜	1964	182, 185
上帝說要有光／讓有光	1946	20

華語電影

中文片名	英文片名	電影出版年份	本書頁碼
		二劃	
七仙女	A Maid from Heaven	1963	47, 100, 145, 152
		三劃	
小城之春	Spring in a Small Town	1948	168
山歌戀	The Shepherd Girl	1964	152, 160, 207
		四劃	
不了情	Love Without End	1961	153
牛郎織女	Cowherd And Girl-Weaver	1963	207
		七劃	
我這一輩子	This Life of Mine	1950	168
		八劃	
妲己	The Last Woman of Shang	1964	180, 185, 190
狀元及第	Trouble on the Wedding Night	1964	207
花木蘭	Lady General Hua Mu Lan	1964	28, 100, 141, 153, 160, 197
武則天	Empress Wu	1963	155
金蓮花	Golden Lotus	1956	155, 160
		九劃	
紅樓夢	The Dream of the Red Chamber	1962	28, 90, 91, 145, 207
		十一劃	
梁山伯與祝英台	The Love Eterne	1963	28, 145, 147, 153, 160
聊齋誌異	Strange Tales from a Chinese Studio	1965	75
		十三劃	
痴情淚	Pink Tears	1965	75
		十四劃	
碧玉簪	The Jade Hairpin	1962	207
		十五劃	
劉三姐	Third Sister Liu	1960	207
		十八劃	
藍與黑	The Blue and the Black	1966	29
		二十劃	
寶蓮燈	The lotus lamp	1965	46, 155

外國影人、作家、藝術家

編後記

開麥拉眼的提示

西西在香港文壇上的地位舉足輕重。多年來，讀者泰半通過她的文學創作認識這位作家。即使熟知西西廣博的藝術學養，礙於資料散佚，讀者對於電影在西西數十年來寫作歷程中的位置和價值，認識不多，討論也相對較少。

西西稱上世紀六十年代為她的電影時期。在整個六十年代，她先後以西西、愛倫、倫士、張舜、海蘭、米蘭等筆名，在不同的報章、雜誌上發表談電影的文字。此外，她又使用過廢棄的膠捲，自製實驗電影《銀河系》，實屬二次大戰後香港第一代手筆並用的本地青年影評先鋒。

今日仍可尋得的西西六十年代影話，涵蓋一九六三至一九六九年，本書收錄西西發表於《中國學生周報》及《新生晚報》談電影的文章，共計過百篇，大多在一九六三至一九六五年間發表，屬於她電影時期的「前期」寫作成果。

這些談電影的文字，當年大多以專欄形式發表，篇幅短小，距今已逾半個世紀。二十一世紀的科技如光速般發展，使得看電影、談電影，早不受時間與空間的限制了。今日的觀眾除了上電影院，或許更習慣在家觀影：除了DVD、Blu-ray，還有各類收費平台，任君選擇。此外，彈指之間就能讀到網絡上數之不盡的影評；仍覺意猶未盡，還可請益於專業電影書刊。那麼，今日回頭閱讀西西半個世紀前談電影的短文，對於熟悉和不熟悉她的讀者來說，有何意義？這是筆者編輯此書時，反覆想到的問題。

在潮流亂象中保持自覺

一切就從西西早期的電影專欄名稱談起。西西在《中國學生周報》（下稱《周報》）及《新生晚報》的電影專欄，分別名為「電影與我」和「開麥拉眼」。顧名思義，「電影與我」是電影與西西的關係；「開麥拉眼」譯自「camera eye」，即攝影機之眼。眾所周知，攝影技術在十九世紀的出現，造就了電影的誕生。即使攝錄客觀存在的景物，決定按下快門的一刻已是主觀的選擇。而電影還有後期製作的工序，西西當年高度關注的剪接，就是主動的創造。從「電影與我」到「開麥拉眼」，透露的正是自覺觀察、選擇及創造的重要性。

讀影評的人，當然想看看影評人的獨特見解。但西西當年首先提醒讀者的，卻是影評的主觀性。翻開她較早的「電影與我」專欄，讀者會赫然發現這個「我」是西西，也是讀者自己。當讀者滿心期望借西西的「開麥拉眼」解開迷思，西西卻不斷提醒讀者不要被她牽着鼻子走。看似「倒米」之舉，當然另有原因。隨手翻開一本世界電影史，不難發現當日西西推介的佳作，不少已成今日經典。她希望讀者警覺於影評的主觀性，主要因為香港當時極為商業化的電影宣傳及評論風氣，沒有真正起到分享、指引的作用，而是利益先行。

上世紀六十年代初，香港擁有兩岸三地最為開放的文化空間。一九六二年，香港大會堂於落成之初，即設有「第一映室」（Studio One）。自此，西西與陸離、戴天（筆名田戈）、羅卡（筆名火光）等一眾《周報》電影版的青年影評人，大量接觸到一九五〇年以降的歐美電影新潮，從意大利新寫實主義電影，到法國新浪潮，以至於各地青年積極開展的獨立電影潮流，深深吸引着他們。

然而，在六十年代初，香港本地放映西片的地方不多，數量亦少，而上述的歐美電影潮流至少延後了三數年才得以輸入香港，與當時不少賣弄色情的商業流行電影碰擊。種種新鮮的形式與題材，原意是申述對渾濁悶局的不滿、對突破世俗囚籠的期許，例如西西予以高度評價的《八部半》（*8½*, 1963），或以零碎的敘事結構反叛規限，或以女性展示對理想的憧憬與落空。[1] 但一般觀眾只看故事，新穎的形式和技巧不易為他們所接受；當部分作品具備情

---

1 倫士：〈電影花氈之構成——釋費里尼的《八部半》〉，《中國學生周報》六六五期，第十一版。

色（erotica）元素、體態姿色出眾的女演員，市場自然改以色情（pornography）話情色、化嚴肅為通俗，讓真正的新潮價值失焦。只需看看當年這類電影的中文譯名，不難窺見上述真假新潮電影充斥市場的情況。因此，身為負責的影評人，西西積極培養自己的眼睛，因為多看才能公允地評介；同時鼓勵讀者培養嗅覺，謹慎選看電影。[2]

二十一世紀的視聽媒介不止發達，簡直泛濫。我們今日接收的外界聲畫極多，又有各式各樣的論說和展演空間；個人看似可主動、自由地選擇，實則不然。簡單如人工智能，大數據庫收集了每個人的生活習慣，運算出所謂投其所好的結果，實質收窄了我們的視野。正如西西所說：「我們充滿了外界，卻失去了自己。」（「電影與我」第十六篇）每個時代都有各種新潮，若怕魚目混珠，既要開放，更要自覺判別。這是西西電影文字中留給讀者的珍貴提示，沒有時代的限制，實在也不限於電影。

學習謙卑，耐心引領

這些半個世紀前的文字，亦記錄了一代青年影評人對本地新電影文化的期許，讓今日的讀者得見二次大戰後

2　西西：〈「電影與我」〉，《中國學生周報》六〇五期，第十一版。

香港擁有開放文化空間的價值。在西西較早期談電影的文字中，讀者不難瞥見熟悉的作家身影。一方面，西西的文藝學養深廣，她很早就有意識地把電影納入現代藝術的範圍，視其價值與現代詩、小說、繪畫與雕塑等同。這種把電影納入現代藝術範疇的判斷，其實廣泛見諸一眾《周報》電影版的青年影評人，他們甚至視之為現代藝術中的領航者。他們當年討論、研究、互相學習，嚴肅地看待電影藝術。西西當年談電影，亦不時談及這些影友。她的文字，記錄了這個社群當年如何謙卑地共同學習，有着共創本地新藝術文化的理想。據筆者多年前訪問羅卡先生所得，他們當年獨特的觀影趣味、認真嚴肅的研究態度，很快就吸引了編輯方龍驤的注意，於是有了一同為《新生晚報》「生趣」版寫稿的機會。

另一方面，西西的電影專欄文字淺白，語調輕鬆，對讀者總是循循善誘，鼓勵他們看電影要多讀多學。只要比對西西以不同筆名發表的影話，當可發現上述的作家身影，是故意為之的：「西西」的讀者真會以為去看《八部半》是看「可愛的塵世物象」、「電影花氈」；[3] 而「倫士」的讀者則會知曉雜亂無章的剪接、抽象的場景意義為何。[4] 西西後

3 西西：〈「電影與我」〉，《中國學生周報》六六四期（一九六五年四月九日），第十一版。

4 倫士：〈電影花氈之構成——釋費里尼的《八部半》〉，第十一版。

來甚至有系統地向讀者介紹所謂電影文法，又上追早期默片來談剪接的價值。在六十年代初，西西曾指當時的香港文化猶如沙漠。[5]既然已有不少志趣相投的影友，何以要如此積極地鼓勵讀者到「第一映室」觀影，又不厭其煩地教導基礎電影知識？西西研究中常提及的孩童與親切語調，有何用意？

早在接觸外來的電影新潮之初，西西就肯定了電影藝術有着推動、更新其他現代藝術的能力，《周報》電影版社群共有的經驗，似乎讓她看到新電影文化有着從「外來衝擊」到「本地生產」的可能和價值。因此，雖然她認為本地的電影文化較其他地方落後，但仍走在其他現代文藝之先。[6]因着書刊文化的流通，西西還看到了其他地方的創作者、評論家與觀眾之間，可以互相影響，甚至反過來改變主流歪風：早就登上國際影展舞台的日本電影，因為觀眾水平提高了，市場和電影商反而頭痛了；[7]而當法國政府想從市場抽取暴稅，導演就讓觀眾免費觀影，聯手抵抗。[8]海

---

5 西西：〈「開麥拉眼」〉，《新生晚報》（一九六四年八月二十一日），第六版。

6 同上註。

7 愛倫：〈今日的日本影壇〉，《中國學生周報》五七二期（一九六三年七月五日），第十一版。

8 西西：〈「電影與我」〉，《中國學生周報》六六二期（一九六五年三月二十六日），第十一版。

納百川的開放文化空間，以及青年影評人砥礪學習的正面結果，都讓六十年代初的西西相當憧憬着本地新電影文化的生產與發展。

從這些角度看來，西西當年以輕鬆親切的語調談電影，以簡單的比喻為讀者引介電影作品、知識和歷史，在作家性情外，隱藏着她當年推動本地電影、現代文藝新風氣的願景。當時的西西大概認為，高雅文化不必小眾，也不必然為商業市場所吞噬，她渴望與讀者大眾一同進步。新文化的生產，並非一個人、一小群人可成事，端看是否能虛心學習，耐心引領他人。

敢於在限制中創造

西西當年是影評人，亦是文學作者。前一身份可擔當溝通的橋梁，後者對藝術的創造和超越仍有追求。多年來，西西的文學創作一直以其實驗性形式最為論者所稱頌。既然西西肯定電影藝術有着更新其他現代藝術的能力，自然不會小覷轉化電影技巧為文字創作的潛力。

一九六四年，西西便在《周報》撰文，把電影的表現分為三個類別：電影作品、藝術電影和電影，前二者都是她欣賞的。[9] 顯然，西西早在六十年代就根據諸多的電影表現，分出兩種價值相若，但目標稍異的創作道途。簡單來說，藝術電影是熟練地運用形式和技巧，而電影作品則是揮灑自如地創造新形式的境界。有趣的是，當日這篇文章的開首，乃把電影藝術放在最前；但在正文的解釋中，西西卻先談電影，藝術電影緊隨其後，電影作品壓軸出場。無論如何，西西當時都肯定這三者之二的價值，她重視創造，卻從不忽略溝通。藝術電影如愛森斯坦（Sergei Eisenstein）的創作價值極高，因為他能純熟地運用技巧創作出經典的藝術形式；而電影作品則貴乎創新精神，是電影作者（film author）如英瑪褒曼（Ingmar Bergman）不受拘束地創造扣緊主題的嶄新形式之結果。但無論評論電影大師還是電影作者，西西當年都相當省察，例如她提醒觀眾當在肯定創新精神中審察，早跳脫於僅以作者風格論好壞的電影作者批評觀。因此，對於西西來說，形式絕對比內容重要，但她肯定不是一個為形式而形式的創作者；關注形式實驗，是為了創造出最適切的表達手法。西西對於創新形式實驗的價值判斷，早在電影時期就定下來了。

正因為西西同時自覺於創造與溝通的價值，她當年談

9 倫士：〈電影作品、藝術電影、電影〉，《中國學生周報》六一一期（一九六四年四月三日），第十一版。

電影，似乎也在試作文字的創造。電影的聲畫剪接潛力極大，所以西西認為導演應當認清電影形式的獨特之處，創造讓觀眾有所感的作品。[10] 畢竟，她認為觀眾看電影的過程就是經歷一次創造。[11] 仔細閱讀西西當年的文字，不難發現她除了重複字詞、加長句子，控制文字節奏以強調感受，又以粗體加強重點，甚至以並列名詞或短語的方式，直接展示她心目中理想的畫面剪接效果。這些活潑的用字與節奏，《周報》和《新生晚報》後期的文字中較明顯，也算是西西借鏡電影的方式寫作，為讀者創造嶄新的文字感知方式。

專欄面向大眾，講求時效性，且篇幅短小，似造成限制。但西西當年的寫作似乎亦嘗試突破這些束縛。她在確認電影剪接的價值以後，相當有意識地想向讀者介紹電影基礎知識、早期默片歷史，尤其是剪接之父格列菲斯（David Wark Griffith）的作品和創作歷程。其中，《新生晚報》的專欄尤其值得注意：在西西介紹格列菲斯創造的剪接技巧後，專欄也一度作過「交叉剪接」：在表示理解「格列菲斯是很悶的」以後，西西改為略談當下的電影、明

10 西西：〈「電影與我」〉，《中國學生周報》六五七期（一九六五年二月十九日），第十一版；西西：〈「電影與我」〉，《中國學生周報》六五八期（一九六五年二月二十六日），第十一版。

11 西西：〈「電影與我」〉，《中國學生周報》五八六期（一九六三年十月十一日），第十一版。

星，才提醒要「回來講幾天格列菲斯」，[12] 並延伸至當時的電影公司和明星史話。西西當年的《新生晚報》專欄，前後只維持了兩個多月。從她當年曾預告要談其他默片導演的內容看來，專欄或是戛然終止的。無論如何，她當年應考慮過一般大眾的閱讀習慣和感受，才有意無意作了上述的「專欄剪接」，陸續延展新的話題。在種種限制中，這隻「開麥拉眼」有自己的追求，卻始終關注讀者。西西當年期許導演、影評人與觀眾／讀者之間的積極互動，可帶動新的創造。像她這樣的一位專欄影評作家，在各方面都盡了不少力。

西西從她談電影伊始，就鼓勵讀者借別人的「開麥拉眼」，建立自己的「開麥拉眼」，她自己則積極轉化個人的「開麥拉眼」為文學創作所用。藝術源於生活，也歸於生活。跟着西西看電影，定能體會到自省與謙卑的態度，可讓自己成為個人生活甚至新時代文化的創造者。至於上述的西西「開麥拉眼」有何後續發展，且看下回分解。

最後，為編輯體例略作說明，也談談成書的經過。

本書為《西西看電影》的第一冊，收入西西於六十年代發表於《周報》和《新生晚報》談電影的文字。其中，《周

---

12 西西：〈「開麥拉眼」〉，《新生晚報》（一九六四年九月七至十日、十二至十六日），第六版。

報》一篇署名倫士、題為〈十項金像獎一無是處——我評《夢斷城西》〉的文章，無論內容或文字風格都與西西諸作有別，已確認非西西所寫，此書當不收錄。因專欄多無標題，按發表先後編號，文末另附筆名、刊物名稱及日期。

正文的編輯工作，以尊重西西當年的用字風格、標點習慣為大原則，期望盡可能保留完整的時代面貌，協助讀者發掘更多的西西文字特色。筆者多年後重讀、細讀，更覺西西當年的文字活潑多樣。例如「啼笑兩得」最終未改為「啼笑不得」，因前者更準確地表達出她當時為主流影評風氣感到難過又可笑的矛盾，而非無奈之情。至於附錄的譯名表，期望能方便兩岸三地的讀者，但仍有極少量因無法查證而未能收錄的資料，請廣大讀者賜教補遺。此書倘有疏漏，乃筆者之過，當負全責。

約在十二年前，筆者在台北當交換生，因修讀一門與電影相關的文化研究課程，在塵封的書刊中赫然發現熟悉的作家名字，自此開始收集西西影話，展開至今樂趣無窮的西西研究。其後，筆者在業師樊善標教授引介下，有幸幫忙編輯《西西研究資料》，認識了何福仁先生，轉益多師，至今收集了超過三百篇西西影話。

《西西看電影》得以成書，何福仁先生實居功至偉，卻功成不居，甚至放手讓筆者主理全書體例。感謝他多年來無私的提攜、信任與包容。本書另立譯名附錄的建議，最早由鄭樹森教授提出。感謝他在此書出版前仍不吝賜教，協助確認部分譯名。筆者至今不忘鄭教授當年談《七俠四義》與《七俠蕩寇誌》的風采。感謝中華書局，尤其是副總編輯黎耀強先生，一直支持出版西西作品、香港文學；張佩兒編輯仔細用心，為筆者提供不少協助。他們讓本已沉睡閉目的「開麥拉眼」，得以為二十一世紀的大眾讀者重新打開。

最後的最後，感謝西西。她的寫作，多年來為筆者的研究、教學，以至生活，帶來極多啟發。每次再讀她的文字，總覺新鮮，鼓勵着筆者要不斷開拓自己的「開麥拉眼」，時刻自省，謙卑學習，敢於創造。祝福西西身體安康。

趙曉彤

電

西西　著

趙曉彤　編

責任編輯　張佩兒　　**排　版**　陳美連

裝幀設計　簡雋盈　　**印　務**　林佳年

出版
中華書局（香港）有限公司
香港北角英皇道 499 號北角工業大廈 1 樓 B
電話：（852）2137 2338
傳真：（852）2713 8202
電子郵件：info@chunghwabook.com.hk
網址：http://www.chunghwabook.com.hk

發行
香港聯合書刊物流有限公司
香港新界荃灣德士古道 220 - 248 號
荃灣工業中心 16 樓
電話：（852）2150 2100
傳真：（852）2407 3062
電子郵件： info@suplogistics.com.hk

印刷
美雅印刷製本有限公司
香港觀塘榮業街 6 號海濱工業大廈 4 樓 A 室

版次
2022 年 7 月初版

規格
大 32 開（210mm x 145mm）

ISBN
978-988-8807-83-3

資助

香港藝術發展局全力支持藝術表達自由，
本計劃內容並不反映本局意見。